アラン、
ロンドン、
フェアアイル

編みもの修学旅行

三國万里子

文化出版局

Cast on

竿をしゅっと振って、
糸の先についた針を水に投げ入れる。
そして待つ。
バケツをひっくり返したのに腰掛けて、延々と、手ごたえがあるまで。
無知なわたしは、
それが釣りってものだと思っていた。
そうではないよ。
と知人から聞いて最近知った。
えさを仕掛けたら、その後は絶えず竿を動かし続けるのだそうだ。
水の下の世界を、糸と竿を通じて感じながら。

それは、「編みもの」に似ているな。
針と糸を握っているだけでは前に進まない。
ひと目編めば、ひと目分だけ状況は変わる。
編まれるべきセーターはまだ想像の向う側にあって
呼べば現われるというわけではない。
突き進んだところで、思うようにいかないこともままあるけれど、
とにかく針を動かしてさぐり続ける。

その最初の一歩、作り目をすることを英語で cast on という。
竿を振るは、cast。
たぶん偶然ではないんだろうね、
糸と棒で作る仕掛けが同じように呼ばれるのは。

わたしが漁師の女房なら、
編み目の数だけ夫に獲物がかかることを願うだろう。
まじないのように目を針にのせていくだろう。
作り目が 300 として、
1段ごとに 300 匹かかる魚を思い浮かべながら
夫のセーターを編むだろう。

CONTENTS

Shetland Islands
シェットランド諸島
Mainland
メインランド
Lerwick
ラーウィック
25分
Fair Isle
フェア島
1.5時間
Scotland
スコットランド
Atlantic Ocean
太西洋
Edinburgh
エディンバラ
1時間
Ireland
アイルランド
United Kingdom
イギリス
45分
2.5時間
Aran Islands
アラン諸島
Galway
ゴールウェイ
Dublin
ダブリン
1.5時間
England
イングランド
London
ロンドン
30分
Celtic sea
ケルト海
Guernsey Island
ガーンジー島
アラン諸島 拡大
Inis Mór
イニシュモア島
Inis Meáin
イニシュマン島
Inis Oírr
イニシア島

Scotland

スコットランド

小さいと聞いていたシェットランドの羊が
実際どれくらいなのか、この目で確かめたかった。
願いはあっさり叶えられました。
大体どこでも、首を回せば視界に羊が入るのです。
彼らは自分が小柄だと言われたら
きっと驚くことでしょう。
自分たちの毛がショールになって
女王に献上されたことも、
セーターになってヨーロッパモードを
席巻したこともいまだ知らずに、
おいしそうに草を食べています。

イギリスを構成する4つの地域のうちの一つで、ブリテン島の北側の約3分の1と、周辺の島々からなるスコットランド。首都はエディンバラ。シェットランド諸島は、スコットランドの中でも最北に位置し、北海をはさんだ東側はスカンディナヴィア半島。15世紀までノルウェー領であったため、その文化の影響を強く受けています。およそ100の島々からなり、うち人が住んでいるのは16の島のみ。最大の島メインランドには主要都市からフライトがありますが、フェア島へはメインランドからさらにプロペラ機での移動に。

それは地元の編みものだから

シェットランド諸島のメインランドにある州都、ラーウィック。昔の面影を残す波止場の一角に、シェットランド・ミュージアム・アンド・アーカイブズはあります。

館内はシェットランド諸島の歴史がわかりやすく、つぶさに解説されていて、ひと回りするうちに島々への親しみが増していきます。30億年前は北アメリカ大陸の一部だった。9世紀初めにバイキングがやって来て島が乗っ取られた。木が育ちにくい環境のために木材が貴重で、難破船が出ると、その漂流物が貴重な建築材料になった。家も農具も服も、地元の素材を使って自分たちで作っていた。などなど。島に住むということは、ずいぶん大変なことです。でもその大変さを外から眺めさせてもらうと、すごくおもしろい。

その「おもしろさ」の筆頭が、島の生きものたちのユニークさです。

シェットランドには固有種の動物がたくさんいます。人の生活に近いところでは、牛、馬、豚、そしてセーターの「もと」である羊。彼らはよその地域の仲間より小柄です。その昔、外の世界からやって来たときにはスタンダードサイズだったのが、島の厳しい環境に適応して、ここでやっていくのにちょうどいい大きさになったのです。

シェットランドのニットは、この独自の進化を遂げた羊がいたからこそ生まれたものでした。体格に比例して細い繊維、それがもともとのスポンジッシュな性質とあいまって、柔らかいのにこしがあって、編みやすい糸になります。この糸で編まれたセーターは、ひとことで言うと「ふかふか」です。カシミアのようなとろんとした柔らかさとは違う、少しざらっとして、弾力のある、素朴な感触。セーターになっても、羊という生きものの野生を感じられる

左ページ／優秀な紡ぎ手であり編み手として知られるアンスト島のサザーランド家の姉妹のうちのひとりによって、1921年に編まれたもの。星のような珍しい模様が見られます。
上／"Da Print and Da Wave（砂浜に描かれた波のあと）"という名前のシェットランドではポピュラーな模様の応用。

ようで、着ていて心がなごみます。

話をミュージアムに戻しましょう。

この博物館は、シェットランドニットのすばらしいコレクションを持っています。さすが地元、おそらくクオリティも数も世界一ではないでしょうか。展示を前にして、もう動きたくなくなりました。あまりに美しくて。どれもチャーミングで。その多くがファッションとして作られたセーターやショールであるにもかかわらず、時を超えてずっと残る夢のようなものを宿しているのです。こんなものを作る人を生み出すシェットランドという場所は、やはり特別なのでしょうか。

案内してくださったキュレーターのキャロルさんは、島の手仕事への深い理解と愛を感じる頼もしい女性です。エディンバラのスコットランド国立博物館のジェイミーさんに、フェアアイルの地衣類《ちいるい》を使った染色について伺ったときも、
「詳しいことはキャロルに聞いてみて。きっと答えてくれるから」とおっしゃっていましたっけ。

さっそく、はじめに目にとまった、愛らしいショールについてお話を伺いました。
「『ハップ』といって、肩からかけたり、頭にかぶったりもした普段使いのショールです。19 世紀後半のもので、太い糸を使っていますね」

子ども用ですか？
「そう。真ん中のガーター地は子どもが自分で編んでいます。ボーダーの紫の部分をもう少し編める人が足して、さらにその縁をもっと上手な人が編んでいます。当時は、子どもも手袋などを編んで家計の足しにしていたので、売れる品質のものを作れる必要があったのです。これは練習用でもあるの」

なるほど。シェットランドでは簡単なものを実際に編みながら技術を身につけたのですね。近くに編

左／少女のためのハップ。ボーダーに使われている紫は、19世紀後半の透し模様のニットでの流行色だったそう。
右／1900年代のアンスト島で編まれたレースのエジングは、この博物館の中でも最も細いもの。レースショールには最初にエジングを編んでから中央を編むものも多くあります。

める年長者がたくさんいて口を出したりする、にぎやかな情景が浮かびます。自分が編んだ四角いガーター地にきれいなレースの縁編みをつけてもらった女の子はどんなにかうれしかったことでしょう。

簡単で素朴な「ハップ」に対し、シェットランドレースの真骨頂は、複雑な模様を組み合わせて作る、曼荼羅のような大判のショールにあります。シェットランド諸島の中でも北に位置するアンスト島で生まれたシェットランドレースは、ヴィクトリア朝的な繊細な美しさから1830年代にイギリスの富裕層に広まり始め、その収入は20世紀前半まで島々を支えました。最盛期、このショールは分業で作られていました。一つ一つの工程が要求する技術のレベルがどんどん高くなっていったため、仕事がしだいに細分化されていったのです。

クモの巣（Cobweb）と呼ばれる細いレースヤーンを紡ぐ人。デザインして編む人。木のフレームに張って形を決める人。さらにショールが売られたあとも、補修が必要になると専門の修理屋に出し、洗濯も専門家にお願いしていたのだそうです。

ヴィクトリア朝の終りとともに、レースのショールを身につける人は減っていきました。代りに訪れた大きな流行が、フェアアイルニットです。

フェア島を起源とするこの多色の編込みは、メインランドに伝わり、よりバリエーションの豊かな色と柄を表現するようになりました。人工の染色技術が発達したことが大きかったのでしょう。自然染料の限られた原色から解放されて、「メインランド好み」とも言えそうな微妙な濃淡の、優しい印象のセーターが生み出されていきました。

化学染料が発達しても、羊毛のナチュラルな色をいつも取り入れていたそうで、カラフルなセーターの中にも、どこかにグレーや茶の濃淡が見つかりま

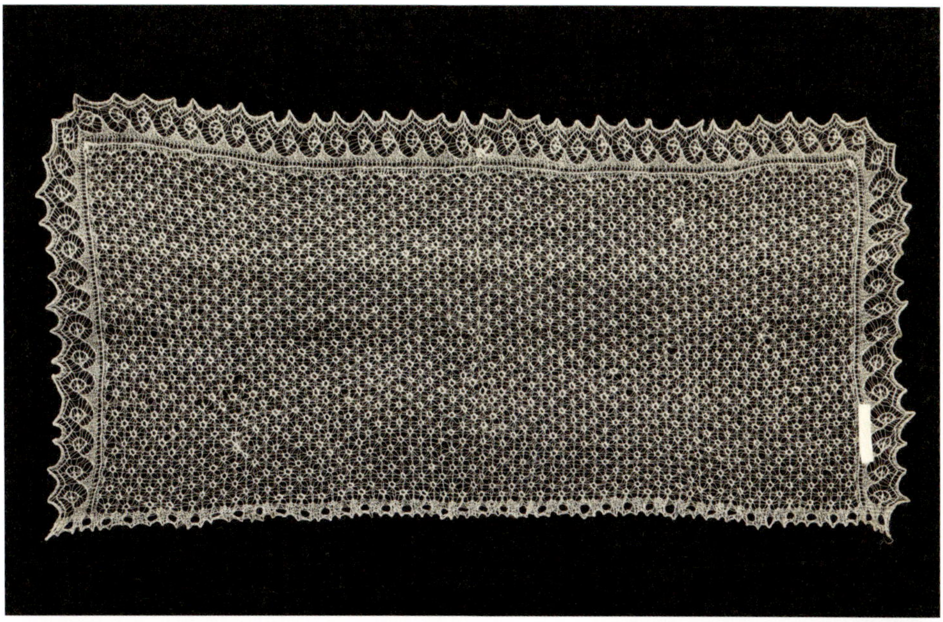

上／シェットランドレースのベール。
下／繊細なシェットランドレースにジップをつけたカーディガン。「新しい技術を古い手仕事と融合させたいい例です。ジップが重すぎて実用的ではないけれど、ファッションの試みとしては興味深いですね」とキャロルさん。

Shetland Museum and Archives

Hay's Dock, Lerwick,
Shetland
ZE1 0WP
TEL.+44 (0)1595 695057
http://www.shetland-museum.org.uk/

左上／帆船や花などのモダンな模様の入ったプルオーバー。
右上／一冊ずつ手で着色されている20世紀前半の図案集。
左下／1920～'30年代にイエール島で描かれたデザイン画。おしゃれが好きなデザイナーのときめきが伝わってきます。
右下／カラードウールだけのフェアアイルカーディガンは、ポケットやボタンループなど、ディテールに凝ったつくり。

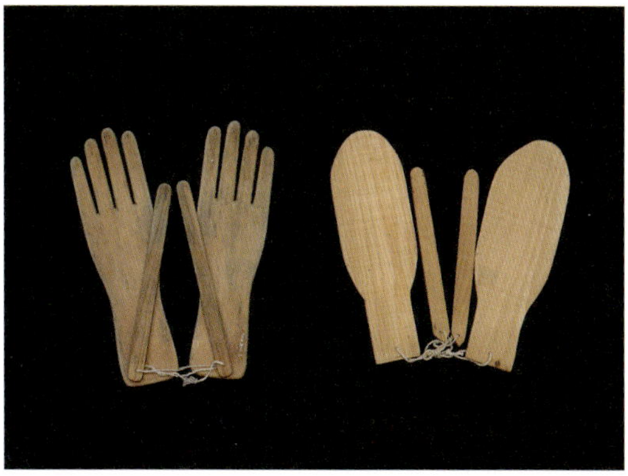

左上／仕上げに水に浸した手袋は、これにはめて乾かします。
左下／ベルトにはさんで編み針を差して使うことで、早く編むことができる道具、ニッティング・シース。これは、針の仕切りとして鳥の羽根が用いられている、珍しいもの。
右／シェットランドレースを編む針は、金属製で超極細。

す。ぱっと見て、自然の景色のような落ち着きを感じるのは、きっとそのせいなのでしょう。

シェットランドのニッターはデザインするときに、島の景色から色のヒントをもらうことが多いのでしょうか、と伺ったときの、キャロルさんの答えが印象的でした。

「うーん。この土地は花が咲き乱れるようなカラフルな場所ではないのよ。顔を地面に近づけてこそ、色がわかる」

ああ、そうなんだ。花の色をセーターに取り込みたいのなら、まずは近づいてじーっと見なければ。

ここのコレクションは膨大で、すばらしいものからそうでないものまで、たくさん持っているのだそうです。展示されているのは、その中のベストと言えるものなのでしょう。

「人の能力はほんとうに様々よ」とキャロルさんは言います。シェットランドのニットの中で育った、地元の人ならではの言葉だと思いました。自然が豊かだから、とか、島特有の人間性だとか、ないわけじゃないだろうけど、でも、ひとことじゃ言えない。

花の色も、近づいて見ようとする人だけが知ることができるように、ここが宝の島だとしても、何を見つけられるかは人しだいなのでしょう。

最後に、以前から気になっていたことを聞いてみました。シェットランドヤーンでニットを編み上げたら、どれくらいの時間水に浸せばよいのか、ということです。本を見ると、一晩とか数時間とか諸説あり、実際現地の人が何時間くらい浸水させているのか知りたかったのです。キャロルさんはこの質問に少しきょとんとして、

「そうね、そんなに長く水に入れておくことはないでしょう、編み地がリラックスすればオッケーよ」と答えてくれました。

1頭分の羊の毛は、からだの大きなオリバーさんが持ってもこの迫力。カラードウールの羊は毛質の粗いものが多いそう。確かに、編んでいてもそのワイルドさを実感します。

見学スタート！

Jamieson & Smith

羊毛の選別は、J&Sのショップの隣のワークスペースでオリバーさんが見せてくれた。

刈り取られた1頭分の羊毛は、ずっしり重くて獣の匂い。

1～5等級まで選り分け、上位2等級だけが毛糸になる。これは最上級のもの。

シェットランド種の中にも様々な毛質と色が。カラードウールは全体の約5%。

カラードウールは、色の違いを目で確認し、手でちぎって選り分ける。

シェットランドヤーンができるまで

ジェイミソン・アンド・スミス（以下、J&S）とジェイミソンズ・オブ・シェットランド（以下、ジェイミソンズ）は、世界中のニッターから支持されるシェットランドヤーンのメーカーの双璧です。いずれの糸も、シェットランド諸島のたくさんの小さな農場から仕入れたシェットランド種の羊毛のみを使用しています。

シェットランド種は、柔らかく、丈夫で弾力性のある毛質が特徴。緑の乏しい季節には海藻を食べたというその厳しい自然環境だからこそ、独自の進化を遂げたのだといいます。さらに最近では品種改良も進み、毛糸向きの柔らかい毛ばかりがとれる羊も増えてきているそうです。

絡みがよく、編込み模様がきれいに表われる、フェアアイルニッティングにぴったりなこの糸は、どのようにできているのでしょうか。

2大メーカーを訪ね、J&Sのオリバーさんには羊毛の選別を、ジェイミソンズのピーターさんには羊毛の洗浄から糸玉になるまでを、見せていただきました。

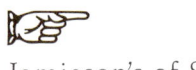

Jamieson's of Shetland

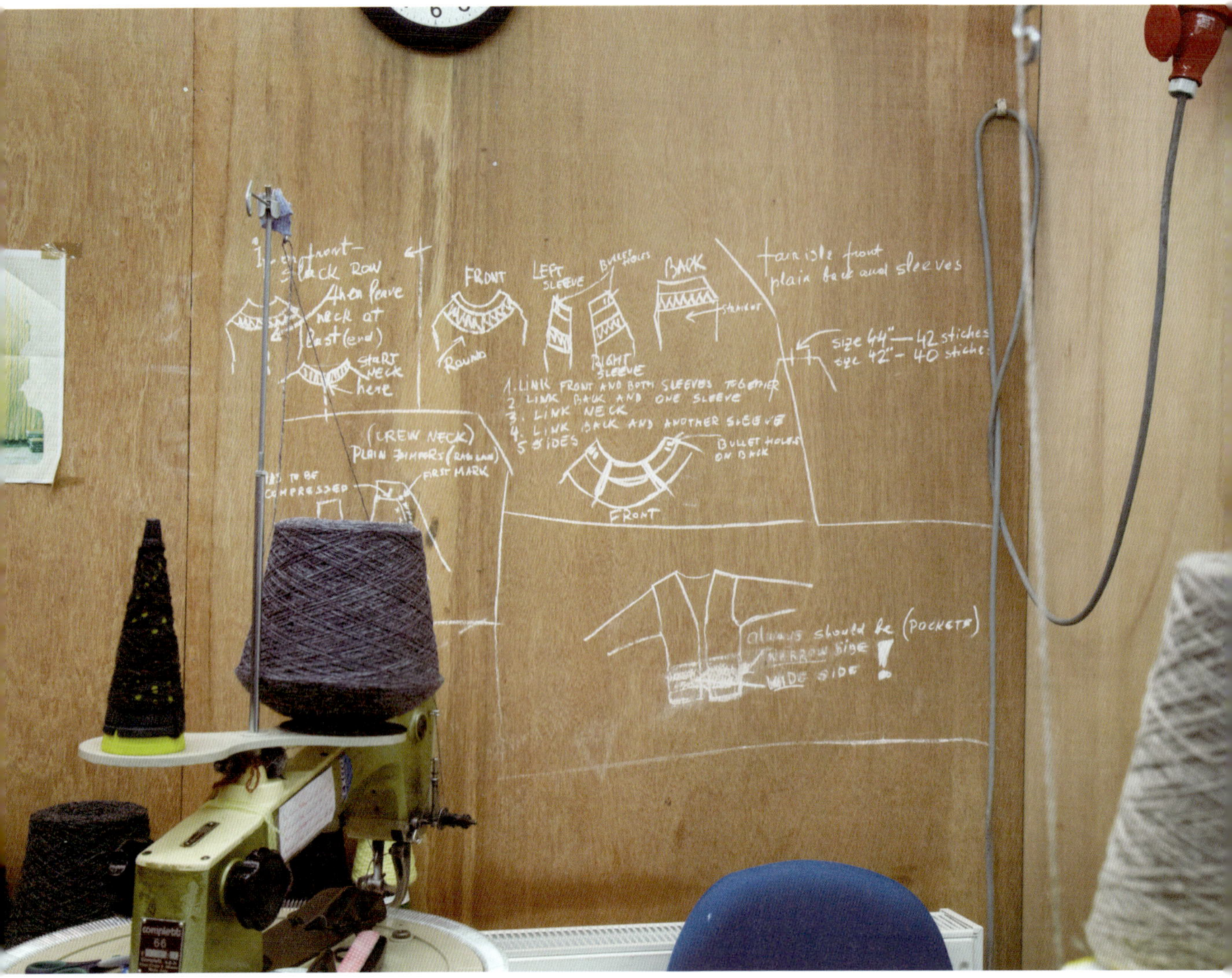

ジェイミソンズでは、同じ工場でウェアも製造しています。機械で編んだパーツを手作業で組み立てます。リンキングマシンの横の壁面には、注意書きがいろいろ。

島内で紡績しているのはジェイミソンズの工場だけ。ここからはピーターさんのご案内。

汚れをふるい落としてから、水とソーダで脂を洗浄。重さは 60% にまで減る。

乾かした羊毛をケーキ状に固め、染料に浸ける。ほんのりパーマ液の匂いがする。

とげとげのついたカーディングマシンで均一にすいて、薄い膜状に。

糸状に細く引き伸ばす。まだ軽く引っぱるだけで、すっと切れる。

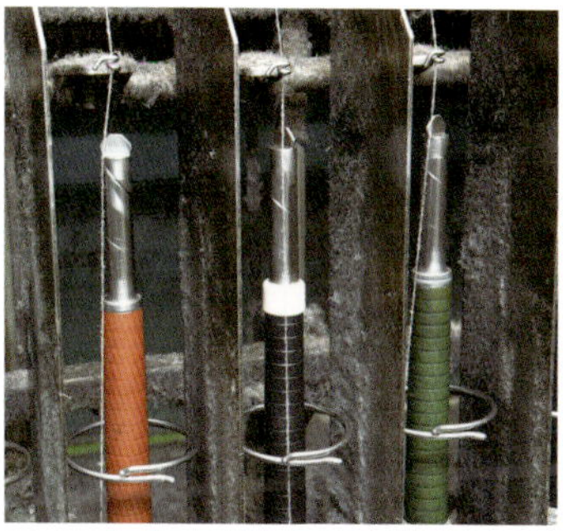

ものすごい速さで回転する軸で、羊毛を引っぱりながら巻き取って撚りをかける。

撚りがかかった糸は、「単糸」になる。

単糸 2 本を撚り合わせ、「2PLY（ツープライ）」に。ようやく手編み糸になった。

一度かせにしてから、コーン巻きに。ピーターさん自らかせを機械にセット。

この日巻いていたのは、わたしの大好きな色「ミモザ」のコーン巻き。

コーン巻きから 25g 玉巻きへ。

ラベルを一枚一枚手でつけたら、出来上り！

見事なショールは、シェットランド・ミュージアムとの共同プロジェクトで開発されたシェットランド種100%のレース糸で編まれたもの。

Jamieson & Smith's Shop

ジェイミソン・アンド・スミス・ショップ

三角屋根の外観が目を引くJ&Sのショップ。フェアアイルニッティングに適したジャンパーウェイトはもちろん、太番手やレース用などシェットランドヤーン全商品が店内の壁をカラフルに埋め尽くします。ケイト・デイビスさん（p.34）ほか人気デザイナーの編み図やキットも販売。デザイナーでもある店員のエラさんが、糸選びの相談にのってくれます。

90 North Road, Lerwick,
Shetland
ZE1 0PQ
TEL.+44 (0)1595 693579
http://www.shetlandwoolbrokers.co.uk/

ニットにまつわるシェットランドの方言がプリントされたオリジナルのエコバッグもかわいい。"MAKKIN" はニッティングの意味。

Jamieson's Knitwear

ジェイミソンズ・ニットウェア

ラーウィックの中心地にあるジェイミソンズのショップ。毛糸や用具のほか、島内の工場で作られたフェアアイルのウェアが子ども用からメンズサイズまでデザイン豊富にそろいます。「ここのセーターは、原料から完成まで正真正銘のメード・イン・シェットランドだよ」と言う、ピーターさん自身がデザインしたものも。編上り後に一度洗いをかけて仕上げてある製品は、ふっくら柔らかな風合いです。

93-95 Commercial Street, Lerwick,
Shetland
ZE1 0BD
TEL.+44 (0)1595 693114
http://www.jamiesonsofshetland.co.uk/

ジェイミソンズの工場の近く、島の西側には沼だらけの荒野が広がります。赤茶に見えるのがヘザーで、夏には紫の花をつけます。緑の少ないこの地では、これも羊のえさに。

メインランドの牧場にて。ミルクの時間だよーとおじさんが声を掛けると一斉に駆け寄ってくる子羊たち。ミルクが足りないときは哺乳瓶で授乳します。

フェア島のマチさんのペットのシェットランドシープ。カメラを向けても動じず、ミス・シェットランドの風格。

アトリエに置かれたマチさん愛用の編み機。
穴のあいたカードにフェアアイル模様の情報
が刻まれています。

マチさんのフェアアイルニットは、ホームページから英語でのオーダーが可能。形、サイズ、色や柄などのディテールを話し合って製作する、ビスポークのみです。
http://www.mativentrillon.co.uk/

フェア島のマチさん

「島に来たときにはわたしは建築家でした。でも、ここには建物はないでしょう？　何か創造的なことがしたい、と探していたときに出会ったのが、フェアアイルニットでした」

フェア島在住のニットデザイナー、マチ・バントリヨンさん。ベネズエラ生まれの彼女がこの島にやって来たのは、「運命（fate）のようなもの」でした。ふとしたことで島の物件に申し込んだところ選考に残り、ロンドンでの暮しを切り上げて、ここにやって来ました。初めて来たのは真冬で、荒涼とした暗い空に驚いたけれど、この場所が好きだ、と思ったのだそうです。

「どこに行っても、そこで何をすればいいのかわかるんです。ここで出会ったのはフェアアイルニットで、まるで恋に落ちたみたいでした」

建築の代りに打ち込むものを見つけた彼女は、4年間ニッターのもとで働いてフェアアイルニットの歴史と技術を学び、さらに自分自身のやり方を手探りしていきました。たどり着いたのは、伝統的なフェアアイル模様を家庭用編み機で編むという方法。

「このタイプの機械は、作業がとてもデリケートで、デザインワークをある程度手仕事的にすることができるんです。衿や袖口はお客さんの希望に添って、手で編みます。時間はかかるけど、クオリティを保つために」

マチさんのセーターはとても「すっきり」したものに見えます。その印象はたぶん、ベースが機械編みであるということから来ているのでしょう。手編み特有の編み目の「強弱」がないために、目が深追いしようとしないのです。

マチさんのセーターは、伝統柄を使いながら、今わたしたちが着やすい形に仕切り直されています。ロンドンでの生活が長かった彼女の都会的な感覚が反映されているのでしょう。

「フェアアイルニットの伝統を守りたいと思っています。でも、この仕事で食べていけないと、若い人がついてこないでしょう。このやり方なら、コストが抑えられてみんなが買える値段になるし、売れれば暮しも立つ。熟練のニッターたちは、昔ながらの手法にすごくこだわって、すべて手で編むことが大事だと思っています。それなのに、そんなに時間をかけたセーターにちゃんとした値段をつけなくなっている。低価格の衣料品に負けてしまうからです。やがて後継者がいなくなり、産業自体がすたれ、なくなってしまうのではないかと心配です」

　確かに手編みと機械編み、それぞれの利点があります。どちらにも、そのやり方を支持する人の言い分がある。そして彼女も、フェアアイルニットが仕事として続くためにベストと思えるやり方を考え続けているのです。

「セーターを作るのは、建築と似ていますね。平面から立体になった姿を想像するということ。たとえば袖の形。ドロップトショルダー、フィッテッドスリーブ……。アームホールと袖の関係は３Ｄですよね。形を理解するうえで、建築家として勉強したことは、すごく役に立っていると思います」

　マチさんのお話は次から次へと淀みなく続きます。フェアアイルの歴史と技法について。編み機とひとくちに言ってもいろいろあることについて。

　目の前の、ベネズエラ生れの美しい人を眺めながら、ふと彼女に「つるにょうぼう」のお話を重ねていました。家族と、一心にひたすら布（セーター）を作る女性。自分にとっての大事な世界を守るために、ここを巣と決めて仕事に身を捧げている。なんて。そういえば、フェア島はヨーロッパ随一の野生の鳥の飛来地として知られています。鶴というより小型の猛禽類のような、まっすぐで知的な横顔のマチさんでした。

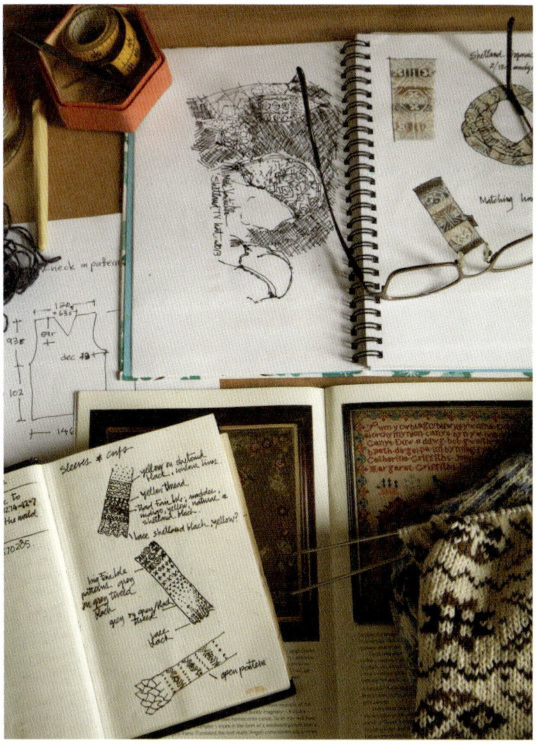

左上／最近、興味があるのはフェアアイルとレースの組合せ。デザイン画を描いて、あれこれ思案中です。
右上／オーダーにこたえるうちに増えていったスワッチ。
左下／アトリエから見渡せるリビングダイニング。ご主人は、ここで近所の子どもたちを集めて勉強を教えているそう。
右下／ご主人のデイビッドさん、2人の子どものセバスチャンとサスキアと一緒に。

フェア島について知っていること。

フェアアイルニット発祥の地。
1588年にスペインのアルマダ艦隊の旗艦、エル・グラン・グリフォンが近くの岩場で遭難した。
命からがら逃れた多くのスペイン人を救うには、島の食料はあまりに少なかった。
フェアアイル模様が、遭難した船員から伝わったという
ロマンティックな説もあったけれど、今はあまり信じられていない。

一年のうち半分は、週に６回、メインランドへの往復便がある。
冬の間はそれが５回になる。天候不順による欠航も多い。
プロペラ機には、パイロットふたりの他に８人乗れる。
乗客は体重によって座席を割り当てられる。
エンジンをかけるときにパイロットが振り向いて、ウインクして何か言うけれど、
プロペラの音がすごくて聞き取れない。

1861年には380人を記録した人口も、1960年には46人にまで減った。
現在住人の数は70人ほど。
70人で島を切り盛りするために、多くの人がパートタイムで公共の仕事に携わっている。
沿岸の警備に、道路整備。ニットデザイナーは時に消防士となり、
島の唯一の商店「スタック・ハウル・ストア」
（「ザ・ショップ」と呼ばれている）
の奥さんは、プロペラ機の発着時には飛行場で旗を振る。

島はスコットランドのナショナル・トラストが所有している。
夏になると、トラストが組織したボランティアたちが島を訪れ、
２週間にわたって農作地の手入れやペンキ塗りの手伝いをする。
渡り鳥のように毎年やって来ては、島民と親交を深める人々も少なくない。

野鳥の飛来地としてヨーロッパ中に知られている。
1948年に開かれた野鳥観測所があり、
希少種を求め、訪れる愛好家たちが泊まり込んでいる。
島にはパブもレストランもないので、食事は観測所にお世話になることになる。
ここの食事は家庭的で、とてもおいしい。

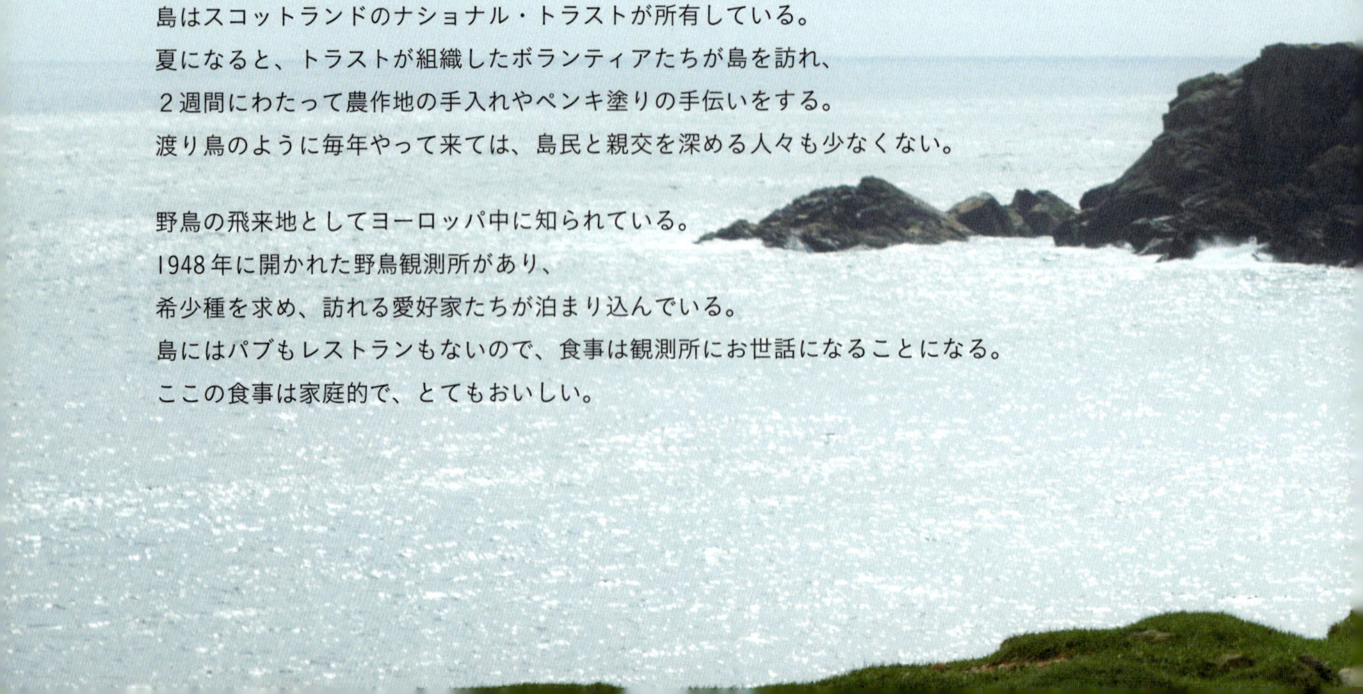

絵になったセーター

ブルーグレーの大判のスカーフをゆったり肩に巻いた女性は、右手に手袋を握り、左手を腰に当てて、こちらを見ています。

「フラッパー」の時代らしく、パツンと切ったボブヘアに、縁編みのついたウールの帽子。赤を基調にした編込みのセーターと、グレーのツイードのスカート。帽子とセーターのにぎやかな地方色が、かえって彼女の都会的な風貌を際立たせています。

この絵は、1923年に画家のスタンレー・カーシターによって描かれたもので、タイトルは「ザ・フェアアイル・ジャンパー（The Fair Isle Jumper）」。絵のタイトルになるほどに、当時フェアアイルのセーターは注目されていました。

オックスフォードやケンブリッジといった名門大学の若者たちをはじめ、中産階級以上の富裕な人々がこぞってこのセーターを着ていました。それも、イギリスのみならず、ヨーロッパ全土で。

流行のもととなったのは、イギリスの王子、プリンス・オブ・ウェールズ。彼がゴルフ場でフェアアイルのセーターを着たことから、人気に火がつきました。それはこの絵が描かれた年から2年遡る、1921年のこと。

この絵に描かれたセーターが、エディンバラのスコットランド国立博物館に収蔵されています。絵を描いたカーシターは、ナショナル・ギャラリー・オブ・スコットランドの初代館長で、このセーターも彼の所有であったためです。

実際に見ると、セーターは女ものらしく小振りで、そこにみっしりと詰まった柄は、迫力を感じさせるほど繊細で込み入っています。衿、裾、カフはリブではなく、赤と藍の格子柄です。

「この格子柄は早期の特徴で、だいたい1930年までのものに見られます」と、キュレーターのジェイ

左ページ／ Stanley Cursiter, The Fair Isle Jumper（1923）
City of Edinburgh Council 所蔵。
上／ジェイミーさんは、その由来から「カーシター・ジャンパー」と呼んでいました。
右／セーターの裏をルーペで覗き込むジェイミーさん。渡り糸を見ているのではなく（それはそれは美しかったですが）、ラベルにカーシターの名前があることを確認中です。

National Museum of Scotland
Chambers Street,
Edinburgh
EH1 1JF
TEL.+44 (0)300 123 6789
http://www.nms.ac.uk/national-museum-of-scotland/

左ページ上／左は、初期の特徴が見られるベレー。右は、紳士がレジャーの際にかぶったというシルクの帽子。
左ページ中／シェットランドレースの衿は、羊の喉の部分のとりわけ柔らかい糸を使って編まれたものだそう。
左ページ下／メインランドで発行された図案集。帆船のパターンやアーガイルなど、新しい試みが感じられます。
上／博物館の中央に広がるグランドギャラリーは、ヴィクトリア朝の建築物。自然、歴史、文化、工芸、スコットランド史などに関する約２万点のコレクションがあり、珍しいものでは、世界初のクローン羊「ドリー」の剥製も。

ミーさんが教えてくださいました。
「フェアアイルニットは、その名前のとおり、フェア島発祥の編みものです。もともとは近隣の国々、たとえばバルト三国やポーランドからの影響があって、この形になったものでしょう。大きなXO柄と、そのバリエーションがすごく豊かなのが特徴です。一枚のセーターの中で同じ模様をあまり繰り返さないんですよ。だから見ていてすごく楽しい」
　メインランドで編まれたものはどんなところが違いますか？
「メインランドの初期のものは、うーん、ちょっと退屈ですね。柄が単純だし、色も地味だから。フェア島の影響を受けて、だんだんおもしろくなっていくんですよ」
　なるほど。メインランドで多色の編込みが花開くのは、もう少し後のことなのですね。
　フェア島のニットは、色遣いに一目でそれとわかる個性がありますよね。
「そうですね、基本的にこの色の組合せで編まれます。赤は中東のアカネが原料で、黄色はおそらく地元の地衣類から染めたものじゃないかな。藍はむずかしい色だから、藍染めかもしれないけれど、合成の可能性もあります。そこに原毛の白や茶を足しています」
　なるほど……。目の前のニットがあまりにもすばらしい手仕事の結晶だったので、以前から抱いていた疑問がここでひょっこり顔を出しました。それは、編みものが得意でない人もいたでしょうに、ということです。そういう人も、セーターや靴下を編まなくてはいけなかったのでしょうか？
「そうですね、もちろん編みものがいやな人だっていたはずです（笑）。でも、たぶん、やらないわけにはいかなかったんですよ」

お国柄でしょうか、ティーコージーはニットやキルトなど様々ありました。わたしにとっては、あまりなじみのないアイテムでしたが、着るものにはないこてこての楽しさに惹かれて編みたくなってきました。

トレジャー・トローブ

ケイトさん（p.34）からエディンバラのチャリティショップ「トレジャー・トローブ」のことを教えていただいたとき、ぜひ見に行かなければと思いました。広くイギリス各地に住む300人の会員がていねいに手作りしたものが集められていて、刺繍やソーイング、お菓子、とりわけニットの品ぞろえがすばらしいというのです。

にぎやかなキャッスル・ストリートのお店に到着してまず目にしたのは、ショウウインドーの表明文。いわく、「わたしが作るものは、派手でも豪華でもありません。その代り愛情を込めて、自分の手で作っています」

チャリティについてではなく、クオリティについての言葉であることが、志の高さを感じさせます。入ってみるとすぐに、それがほんとうだということがわかりました。

お店いっぱいに飾られた、バグパイプを吹く編みぐるみや、おもわず笑いを誘うティーコージー、フェアアイルやアランの子ども用セーター。作風こそほのぼのとしているけれど、どれも昨日今日の技術ではない、慣れた手でしっかり作られたことを感じさせる作品たちです。

このお店を運営するのは、エディンバラ・ロイヤル・レポジトリィ・アンド・セルフエイド・ソサエティ。健康や経済的な理由など何らかの助けが必要な人たちが、“自分たちの技術を使ってお金を稼ぐ”ことを支援するために1882年に設立されたチャリティ団体です。

The Treasure Trove
23A Castle Street,
Edinburgh
EH2 3DN
TEL.+44 (0)131 220 1187
http://www.selfaidsociety.co.uk/

左／すぐ編めて売行きもいい子ども用と小ものの品ぞろえが特に充実。スペシャルオーダーにも対応しているそう。
右／これほど見事なシェットランドレースは、メインランドでもそうはお目にかかれないことは、後から知りました。
下／主宰者のエリザベスさん。

　主宰者のエリザベスさんにお話を伺いました。
「イギリスにはチャリティショップはたくさんありますが、ここは新品、しかも手作りのものだけを扱っているところがユニークです。メンバーの年齢層は平均65歳くらい。シェットランドに住んでいる70歳のメンバーは、3歳から編み始めて、もう編み図は全部頭に入っているんですよ」
　イギリスには、こんなものを編める人がまだまだいらっしゃる。すごいことです。ベテランの技術に対して、値段がとても控えめなことが気になって伺うと、
「値段は作り手が決めています。ちょっと安すぎると感じることもありますが、大量生産のものを意識すると、あまり高くはつけられないのね」

　そうなんだ……。ニットを見て時給計算をするクセがあるわたしは、やるせない思いに一瞬捕われました。

　お店を何周もしたあげく、自分用に見事な大判のショールを一枚求めました。シェットランドのウォールサ島シンビスターに住む女性が編んだもので、薄手で繊細だけれど、編み地が密でしっかりしています。
　こころして、大切に使います。

エディンバラから自然豊かなこの地に越してきて、生活は大きく変わったのだそう。アトリエを持ち、愛犬を存分に遊ばせることができてとても幸せ、とケイトさん。
http://kddandco.com/

セーターにミミズク

エディンバラから車で１時間と少し。ハイランドの境界にほど近い湖畔の家に、ニットデザイナーのケイト・デイビスさんを訪ねました。

ケイトさんを知ったのは数年前、「すばらしいニットのブログがある」と知人に教えてもらったのがきっかけです。

そのページには、まず草花や山並みといった自然の写真が並んでいました。文章を拾い読みしながらもっと見ていくと、編みものをする女性の白黒写真や、中世の絵画、編みかけのフェアアイルのスワッチ……。写真の美しさ、テーマの多彩さに惹かれ、時間を忘れてスクロールするうちに、これを書いている人は三つ編みを頭にぐるっと巻きつけたキュートな女性で、ハンドニットのデザイナーであること、ご主人と黒い犬と一緒に自然の豊かな土地に暮らしていることが、まずわかりました。さらに、古いかわいいものが好きだということ、彼女のニットには独特のモチーフの選び方やテーマがあること、そしてたいへん知的な人であることも。

この人を知ることができたことを、とても感謝しました。

以来彼女のブログを読むようになり、スコットランドにはケイトさんがいる、ということを漠然と励みに思うようになりました。

それは、空を見るたびに自分の好きな星を確認するようなもので、まさかほんとうに会えることになるなんて思ってはいなかったのですが。

ケイトさんは、想像していたとおりにすてきな人でした。身のこなしが軽やかで、笑顔がとても温かい。注意深くこちらの話を聞いて、ていねいに答えてくれます。

羊のティーコージーを着た赤いポットから入れたお茶をいただきながら、お話を聞きました。

左／これが「パフィン」のセーター。この鮮やかなくちばしの鳥がモチーフになっています。
右／羊のメリーゴーラウンドを編み込んだティーコージー。
下／ニットの本と博士号論文。どちらもケイトさんの著書。

6歳のころに親戚のおばあさんから編みものを教わったというケイトさん。長じてアメリカ文学の研究者になってからも、趣味として編み続けていたそうです。

そんなあるとき、彼女は自分の研究対象の中に、深くこの世界を探るための入り口を見つけました。きっかけになったのは、フィラデルフィア大学の図書館で読んでいた、18世紀アメリカの手紙。女性たちのサークルで交わされていたその手紙には、詩や裁縫、ガーデニング、編みものといった、開拓者時代の暮しの様子が生き生きと綴られていました。読み進むうちに、ケイトさんは、当時の暮しを再現したいという気持ちに駆り立てられていったのだそうです。

「それがすごく楽しかったんですよ。自分で工夫して作るということはずいぶん頭を使う、でもその分クリエーティブになれる。手を動かすことは昔から好きだったけれど、回り回って、またそこに戻ってきたのだと思います」

それが10年ほど前のことで、以来、彼女は欧米の生活史の研究と、ニットデザインの両方に力を注ぐようになりました。それは学者としての太い幹から、クリエーションという枝が豊かに伸びていくようなことだったのでしょう。持ち前の、美しいものを見分ける感覚を養分としながら。

2010年にケイトさんは脳梗塞を患いました。大学の仕事から退き、療養生活をしながら、しだいに編みものをする時間が多くなっていきました。「体と相談しながら自分のペースで進められるから、ニットのデザインに本業を移すことにしたんです。

天窓から柔らかい光が降り注ぐアトリエ。6時起床後、犬の散歩をして、ここでキットの発送作業をすることから一日がはじまるそう。編みものをするのは、夕方から夜にかけて。

編みもので生活していけるなんて、以前は考えていなかったんですけどね」

この場所で仕事をしていくのは、時に不便なこともあるのではないでしょうか？

「ありがたいことに、仕事を手伝ってくれる友達がたくさんいるんです。エディンバラにも、ネットの世界にも。彼らに助けてもらって、本を出版しています」

ケイトさんは2012年、「ケイト・デイビス・デザインズ」という自身の会社から、ニットの本を出版しました。シェットランドヤーンで編んだウェアや帽子、ミトン、ショールなどを集めた作品集です。

めくると、ケイトさん自身がモデルをつとめていて、ブログの読者にはなじみ深い独特の世界が展開されています。彼女の作品は、ある場所や自然をモチーフにして作られることが多く、この本ではどの作品も、デザインと関わりの深い場所で撮影されています。

章の組立て方も彼女ならではで、まずデザインソースとなった花や遺跡、灯台についてのコラムがあり、次いでニットをまとったケイトさんの写真、そして作り方解説が続きます。

たとえば「パフィン（PUFFIN）」という鳥の名を冠したセーターの章では、イギリス、アイルランド全土でいかにこの鳥がいろいろな名前で呼ばれているか、というエッセイが最初にきます。内容は、資料をちりばめた学究的ともいえるもので、小さな字で4ページもあるのですが、ケイトさんの語り口のテンポのよさに引き込まれて、いつのまにか読みふけってしまう。エッセイの終盤には、彼女がこの鳥のくちばしの、陽気で1920年代的な色遣いに惹かれたことと、それをどうニットのデザインに取り込んでいったかが明かされます。

ニットを読みものとして体験できる、ケイトさん

色とりどりのスワッチやポストカードに紛れ、ご主人の子どものころの写真や、愛犬ブルースがモチーフのチャームも。

「山でも見ませんか」とお誘いいただいて家の近くを散策しました。春先のスコットランドでは、ココナッツの香りのするハリエニシダの黄色い花が満開を迎えていました。

「だいぶ着古しているけれどいいのかしら」と出してきてくれたアウルのセーター。ヨークに並んだミミズクはもちろん、ウエストラインを美しく見せる腰回りの増減も、細やかな仕事がなされています。

ならではの編みもの本です。

2階のケイトさんのアトリエは、天窓から光が射す、明るい書斎のような部屋でした。壁のピンナップボードには、フェアアイルのスワッチや雑誌の切抜きが、無造作に留めつけられています。材料を集めて、その中から必要なエッセンスを取り出し、作品にまとめていくのでしょう。

窓際のデスクにはひっそりパソコンが置いてあって、あ、ここからあのブログが配信されているんだ、と気づきました。ふだんは地球の裏側で見ているサイトの発信源が、今、目の前にあるふしぎ。

部屋の隅のハンガーに並んだ、ケイトさんデザインのニットたち。その中に、彼女のアイコンともいえる「アウル（ミミズク）」のセーターを見つけました。ヨークに小さなミミズクがずらりと並んだこの愛らしいセーターは、2009年にニッターのためのSNS「ラヴェリー」に発表されるや、大変な人気を得ました。

一羽のミミズクの構造は、2本のケーブルが3つ縦に並んだもので、至ってシンプル。そうです、それは、言ってみれば、ありふれたケーブルなのです。ニットのデザインをする人ならば、ここにミミズクを見いだすことの天才に頭《こうべ》を垂れずにはいられないのではないでしょうか。

彼女のデザインの最も優れたところは、「見立て」のすばらしさにあります。それは、身の回りのものたちに、光を当てること。心を働かせて、注意深く、いろんな角度から見ること。おもしろがること。

きっとケイトさんは今日も、そこここで見つけた愛らしいもの、一つ一つに笑いかけるように、カメラを向けているのだと思います。

エディンバラ動物園へ。

Edinburgh Zoo

134 Corstorphine Road,
Edinburgh
EH12 6TS
TEL.+44 (0)131 334 9171
http://www.edinburghzoo.org.uk/

市の中心地から車で 10 分ほどの小高い丘の上にエディンバラ動物園はあります。動物をモチーフに何か編みたいと、足を延ばしてみました。笹を片手にニンジンをむさぼるパンダ、プールの中を飛ぶように泳ぎ去っていくペンギン。こちらを見上げるミーアキャットと凝視しあったこと……。最後にコアラが、わたしにインスピレーションを授けてくれました。

コアラの ティーコージー

あるじはあいさつもそこそこに、お湯を沸かしに行く。戻ってきて、おしゃべりして、また引っ込んだと思ったら、紅茶を手に戻ってくる。イギリスで人を訪ねるたびに繰り返されたこの儀式がなつかしく、コーヒー派だったわたしも紅茶を飲み始めました。ポットにかぶせたままでお茶が注げるように、スリットを入れたティーコージーには、エディンバラ動物園で見たマイペースなコアラをのせて。手袋を編む要領で作れますが、かわいくなれ！という思いが出来映えを左右します。

→編み方　106ページ

白い
ガンジーセーター

ガーンジー島のミュージアムで見たセーターには、リブの代りにこんなガーター地の裾がついていました。ピコットのような作り目はチャネル諸島特有のもので、かわいいうえに丈夫です。大きくV字を描く胸の模様は、表目と裏目の組合せなのですが、ケーブルにも見えるところがおもしろい。今回使った糸は、5PLY（ファイブプライ）のしっかり撚りのかかったガーンジーヤーン。驚くほど編みやすく、柄もくっきりと出ます。無垢なオフホワイトを選びましたが、もちろんネイビーもかっこいいと思います。 →編み方　108ページ

いろんな四角の
アランセーター

「もしわたしが '60 年代のダブリンでアランセーターをデザインするならば」が、テーマのセーター。アランセーターが、どんどん街着として取り入れられていった時代を想像しながら、全体の形と模様を決めました。裾からウエストにかけての増し目は、古いセーターでしばしば使われる、すっきり見せるための工夫です。程よく体にそう身頃と袖に、中央から脇にいくにしたがってだんだん小さくなる、3 種類の四角模様を配置しています。ちょっと遠近法。体を立体的に見せる効果もあります。

→編み方　126 ページ

Vネックの
フェアアイルセーター

1920年代の写真で見たバドミントンする女性は、こんなフェアアイルセーターにウールのスカートで、白い革のひも靴を履いていました。ウッドラケットも勇ましく、当時、最先端のおてんばないでたちだったに違いありません。女性もののフェアアイルをデザインするときにいちばん気をつけるのは、形のバランスです。メンズライクなボックス型を生かしながら、体につかず離れず、すっきり見える「ちょうどよさ」を探します。6月のシェットランド、まだ花のつかないヘザーの広がる、荒野の色を思い出して編みました。

→編み方　110ページ

クリケット セーター

クリケットをプレーするときのセーターは白ですが、ユニフォームでないならば、ネイビーもいい。コントラスト色のラインを入れた衿は、ダブルにしてあるので丈夫です。この編み地、編んだままだと横幅が縮まっているので、パーツが編めたら、スチームアイロンで仕上りの大きさまで伸ばしてくださいね。これをデザインするとき、色の組合せの可能性がありすぎて迷いました。みなさんも、着てくれる人に似合う、オリジナルの配色を考えるときっと楽しいと思います。

→編み方　112 ページ

透し模様のセーター

ロンドンで見つけたセーター然り、古着屋で見かけるモヘアのセーターは、たいていのんびりした風情です。あまり防寒性もないし、おしゃれ着ですよ、とすました顔で、でもそこが好きです。このセーターは、身頃も袖もあまり増し目、減し目をしない四角ですが、その分、編み地で遊べます。メリヤス地に編み入れたバタフライステッチで手慣らしをしたら、続く透し模様は表段、裏段とも操作があります。ぜひ集中できる時間を用意して、ダイナミックなレース編みを堪能してください。

→編み方　114ページ

コテージの ティーコージー

アランの島の細い道を歩いていると、石垣に守られるように、白い壁の小さい家がぽつぽつと立っています。窓辺にゼラニウムがよく似合う、顔みたいなコテージの形を借りて、ティーコージーを編みました。ポットにかぶせるとまるまるしているけれど、外すと「目」がふにゃっとなって、ちょっとなさけない顔です。だからちょくちょく使って、たくさんお茶を入れてください。煙突はループになっていて、フックに引っかけることができます。

→編み方　122 ページ

ラヴァーズ・
ケーブルのミトン

小指側の模様、ボブルを頭に見立てると人に見えませんか？ そして両手を合わせると、その部分が向かい合ってハート模様になる。アランの模様の名前はこんなふうに、編み手のその時の気持ちや、感じ方を反映してつけられたのかもしれませんね。この模様、パターンブックにはとてもさっぱりした名前で載っています。リブをベースにしたケーブル模様は、交差を編むときに一瞬とまどうかもしれません。でも、模様が続くように編んでいけば大丈夫。

→編み方　116ページ

海鳥の
カーディガン

落ち着いた色味の羽は、島の岩と地衣類にとけこみます。突風をものともせずに崖に巣を組む、賢く勇敢なフェア島の渡り鳥、彼らの野生を呼び込みたくて、着ると海鳥になるカーディガンを作りました。これを編む一番の楽しさは、柄とともに変化していく形にあります。腰にそうリブから一時ふくらんだ身頃を、模様をキープしつつ減し目する過程は、デザインしながらも心躍りました。糸はシェットランドヤーン２本どりです。

→編み方　118ページ

モヘアの四角ショール

どうせ二つ折りして三角にするのならと、四角いショールを編む必要を今まで感じなかったのですが、エディンバラで買い求めたシェットランドレースのショールがとても使いよく、考えを改めました。薄手のレース地をダブルにしたときの、空気を含んだ軽さと暖かさ。たっぷり大きい、美しいものにふわっとくるまれている安心感。極細のモヘア1本どりなので、かなり「編みで」はあります。それでも編んでいる間中ずっと満足感があったのは、手もとで少しずつ大きくなる編み地が文句なくきれいだったからかもしれません。 →編み方　123ページ

アラン諸島で目にする日用品は
ひとつひとつがほとんど人格をおびていると言ってよいくらいだ。
ここではアートなどというものは知られていないが、これらの日用品のおかげで、
簡素な生活に中世の暮らしの芸術的な美しさとでも言うべきものが加味されている。
島カヌー《カラッハ》や紡ぎ車、それから陶器のかわりにまだまだ現役でつかわれている
木製の小さな樽づくりの器や自家製の揺りかご、
また、攪乳器《バターつくり》に編みかごなど、どれもが個性にあふれていて、
しかもここでふつうに手に入る材料でこしらえられたものたちばかりである。
これらの器物はあるていどまでこの島特有のものと言ってよく、
ひとびととまわりの世界をつなぐ自然の環のような存在なのだと思う。

（『アラン島』ジョン・ミリントン・シング著 栩木伸明訳 みすず書房）

Aran Islands

アラン諸島

この島に来ると花の写真をたくさん撮ります。
岩畳のすきまにちょぼちょぼと顔を出す、
優しい色の小さな花を見つけるたびに
うれしくなって。
とりわけ白い浜かんざしが群生して咲く様子は、
島の天国的な静けさの中で、
お祝いごとのようににぎやかです。
アランセーターにあんなにたくさん模様が並ぶのも、
限られた環境の中でなるべく豊かにと願う、
編み手の気持ちの表われである気がします。

イギリスの西側に位置するアイルランド。アラン諸島は中でも西の果てにあるイニシュモア、イニシュマン、イニシアという3つの小さな島からなり、人口は3島合わせて約1300人。ゲール語（アイルランド語）が日常的に使われ、ケルト文化が色濃く残ります。北海道より北に位置しますが、メキシコ暖流のおかげで冬は氷点下になることはあまりありません。石灰岩で覆われたこの島にはほとんど土がなく、昔から砕いた岩と海藻を敷いて作物を育ててきました。島中に広がる石垣は、海からの強い風で貴重な土が飛ばされないよう守る役割も果たしているのです。

編みものの旅がはじまったとき

2年前まで一度も外国に行ったことがなく、その初めての海外がアラン諸島でした。島のニッターの仕事や、どんなものを編んでいるのかを見せてもらうのが目的でした。

行って知ったのは、もう仕事としてのハンドニットはほとんど行なわれていないということ。

地元をよく知るかたのつてで幾人か、今でも編んでいるというご婦人にお会いできました。どのかたも高齢でした。

そのうちのお一人はずっと生活を支えるために編んできたベテランで、手もとも見ずにするすると編み地を作っていきます。セーターの模様は全部頭に入っているのだそう。おしゃべりしながらも、もつれもゆらぎもしない確かな指さばきで、今は生活の糧としてというより、日々のリズムをつくるものとして編みものを楽しんでいらっしゃる様子でした。

天気のいい日には指定席になるという庭で、手を動かす彼女のかたわらに立つと、編み針がカチカチ鳴る音がかすかに聞こえる、そのほかはずーっと波の音、風の音。ハンドニットはこの島で産業としての役割を終えて、その波紋をこの島から海の向うへと押しやっていった。今は「その後」の時間が流れているのだと感じました。

いろんなことが終わって、心底ほっとしたような静けさ。

フォークアートとして発生したアランセーターが産業になったとき、島の女性たちはそこに収入の道を得ました。しかし皮肉なことに、このセーターが世界的な人気を得るにつれ、島固有のクラフトであり続けることは難しくなりました。

アランセーターは、「稼ぐ可能性を持ったセーター」になったのでしょう。人の目に多くさらされてモードの俎上に載ったからには、世界的な競争から免れるわけにはいかない。デザインにおいても、価格においても。

幸いなことに、今は島の女性たちの仕事の選択肢も増えて、安定した収入を得られる仕事に移っていきました。ハンドニットで生きていくということも、一つの可能性としては残っているにしても。そういうものになったのだと思います。

会える人たちに会って、でもまだ時間がたくさんあるので、とにかく島を歩きました。石垣で区切られた道は細く、地形に沿って蛇行しています。島めぐりの馬車やさびさびのTOYOTAのピックアップトラックが、ゴガゴガゴガガガ……と旅行者を乗せて行くのにすれ違います。今は観光が島の主な収入源なのだそうです。

木も少なく、背の低い石積みの塀以外にさえぎるもののない陽に照らされて歩き続けると、先史時代の遺跡に行き当たります。遺跡は草に埋もれてあたたかく、静かで、アランニットね、そういうのあったね、少し前はやったよね、と言っているようです。

さらに歩いて島の端に出ました。切り立つ崖のこちら側は穴だらけの野原で、目を凝らすと、何か跳ねてる。

野うさぎです。それも何匹も、穴に出たり入ったりしています。いきなり生気のある光景に沸き立ちました。追いかけずにはいられない。一匹くらいは捕まる気がして、時を忘れてうさぎと一緒に走り回るうちに、自分がセーターのことをすっかり忘れていることに気づきました。

飛行機とバスと電車と船に揺られて、3日かけてここに来たのでした。来てよかった。期待していたものはなかったけれど、残念だとは思わない。ただ、見たことを受け取った。

今のアランの姿を見られてよかった。

滞在の最終日、特にあてもなく島を歩くうちに雨に降られて、道の脇の小さなパブに逃げ込みました。お茶を注文して、仲間と他愛のないおしゃべりをするうちに手持ち無沙汰になり、ふとおなかの底からわいてきたものがありました。

それは、ああ、編みものしたいなあ、という気持ちでした。何かちょっと複雑な、でもしっかりと自分を注ぎ込めるようなことがしたい。

アランニットが編みたくなったんですね。それは間違いなく、この土地で過ごした数日がわたしにもたらした実りでした。

コンファーメーションの写真をお借りしました。衿がVネックなのはネクタイを見せるためだったのですね。もともと白いアランセーターは子どものおしゃれ着だったそうです。

イニシア島のブリージさん

イニシア島の空港で職員をしているブリージさんは、アランニットのエキスパートです。小学生のころ、すでに仕事としてセーターを編んでいたというから、キャリアは筋金入り。

「いつまでに何枚、という注文がくるから、それに間に合わせようと夜中まで編んだこともあったわ」

彼女のお母さんは、軍隊用の靴下工場で責任者をしていた、優れたニッターでもありました。その能力が買われ、1950年代後半にアランニットを大きな輸出産業にしたパドレイグ・オショコン氏の「ゴールウェイ・ベイ・プロダクツ」から注文を受け、当時島に30人いたというニッターのとりまとめ役をすることとなったそう。彼女も子どもながらその手伝いをするうちに、ニットの技術を身につけました。

「当時、セーターの多くはアメリカに送られていきましたよ。デザインは編み手に任されていたけれど、ただ、ブラックベリー（編出し3目と3目一度で作るポコポコした玉模様。アメリカではトリニティと呼ばれることが多い）は大人用のものには入れないで、と言われていました。工場で働く人が機械の部品に引っかけることがあって、危ないからって」

アメリカに住むアイルランド系の人たちが、特に好んでアランニットを着た、と聞いたことがあります。もちろんこれを着て仕事場へ行く人も多かったでしょう。様々なステッチで覆われたこのセーターは、移民として生きる人たちにとって故郷の人の言葉を帯びているようにも感じられたのではないでしょうか。

今は、アメリカに住んでいるお孫さんのためにセーターを編んだり、夏になるとご近所の人たちと波止場にクラフトショップを出して、編みためた小物を売ったりしている、というブリージさん。ニットとの距離は変わっても、すいすいと編む手つきはさすが、頼もしいです。

お母さんから教わったという独特な作り目のしかたを見せていただいたので、ご紹介しますね。ふつう編みものではあまり使わない親指の働きがユニークです。

左／長男の 12 歳のコンファーメーション（堅信礼）ためのセーターで、ブリージさんのお母さんが編んだもの。ブラックベリーとジグザグ模様の組合せです。衿がゴム編みではなくガーターで編んであるのが、家族用らしくていいですね。

右／次男の 8 歳のホーリーコミュニオン（聖餐式）のためのセーター。センターの模様が凝っていて、これならばよその子とかぶらない。小さい身幅に入れられるだけたくさんの模様を並べた、おばあちゃんの意気込みが伝わってきます。

ブリージさんは、文字を書くときのように針を支える、いわば鉛筆持ちニッター。

ブリージさん流作り目

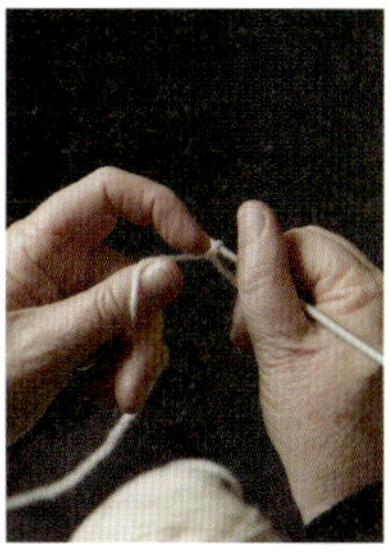

1 針にループを作り（1 目め）、左手の親指に糸をかけます。

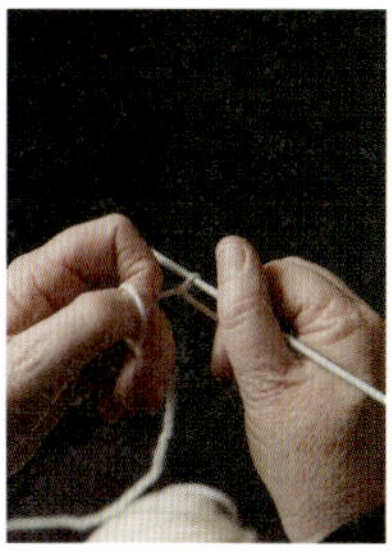

2 人さし指で親指の糸を迎えにいき、弾くようにして人さし指に移します。

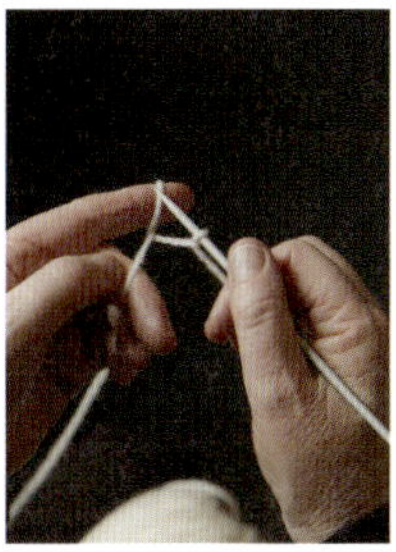

3 人さし指に移した糸を針で手前から向うにすくいます。

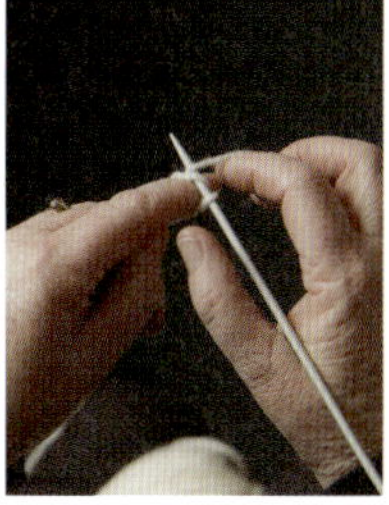

4 表目を編む要領で、糸をかけて引き出します。

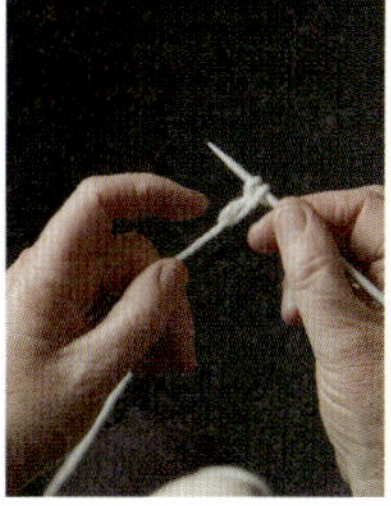

5 2 目めが編めました。

19世紀終りにアラン諸島を訪れた詩人ジョン・ミリントン・シングが毎年夏の間過ごしていたコテージ。シングはここで暮らしながら人々からゲール語を教わり、島に伝わる昔話や生活のようすを『アラン島』に書き記しています。

テレサさんが見せてくれたもの

アラン諸島に数日いるうちに徐々に知ること。それは、ものがあまりない、ということです。

お宅を訪問したときにかいま見る暮しぶりの清さから、また店がとても少ないことからもうかがえます。島にある代表的な商店といえば、郵便局を兼ねた小さな食品店です。そこは雑貨屋でもあって、フリースのジャケットなどの簡単な衣料品も少し売っています。専門店が店を構えるほどの需要がないのでしょう。たとえば本屋は見なかったし、毛糸屋も見かけませんでした。

そう、毛糸がほとんど売っていない、というのは行ってみてわかったことでした。お土産屋の隅にアランニット用の糸がかせでぽつんと置いてあったけれど、それくらい。

では、手編みが仕事として盛んに行なわれていた時代、糸はどこのものを使っていたのでしょう？

アイルランド国立博物館カントリーライフ館では、島内の羊の毛で編まれた1930～'40年代のアランのカーディガンやセーターが残されていました。当時、アイルランドのどこでもそうだったように、アランの島々でも羊が飼われ、当然その毛をセーターや服地にしていたでしょう。

しかしそれも、時代に合わせて事情が変わっていきます。1950年代後半創業のアランニットの販売会社「ゴールウェイ・ベイ・プロダクツ」がニッターたちに渡していたのはコーク州の紡績会社の糸でした。オーダーを受けて量産していくには、太さやクオリティを統一することが必要で、安定した質と量の糸を供給してくれる、本土の工場の糸を使うことになったのだそうです。

今はどうでしょう。島を歩き回ると、時折羊を見かけます。近くにいる飼い主のかたに、この羊の毛は紡ぎますか？と聞いて、紡ぐよ、と答えが返って

左／つま先に三角のパターンを編み込んだソックスは、アランに伝わるトラディショナルなものだそう。
右／洗っては使い、を繰り返したのでしょうか、色の違う親指は、フェルト化しているのがわかります。

きたことはありませんでしたから、もう、ほぼ、アランで糸は作られてはいないのでしょう。

最後に滞在したのは３島の中でもっとものどかな風景をとどめるイニシュマン島でした。歩き回ってもすれ違う人もありませんでした。

明日は本土へ戻るというとき、古いニット、それもこの島の人が普段着として着ていたものを見ることができました。

泊まったB&Bの女主人テレサさんが近所の人たちに声をかけて、クローゼットの奥のセーターや靴下などを集めてきてくれたのです。

島で手に入る食材で用意した、彼女の心尽しと工夫がそのままお皿にのっかったようなお料理をいただいた、その夕ご飯の後、テーブルに並べてもらったニットを見て、一瞬なんと言えばいいかわかりませんでした。

それは着古した、つぎはぎだらけのベストやミトンでした。どこにも技術的な「見せ場」はありません。ほぼメリヤスとゴム編みだけ。

アランのモチーフの最大の特徴ともいえる縄編みは、糸を食うから使ってないんだ……。商品として取引きされるセーターは、その重さで値段が決まったということでしたから、よりたくさんの模様が入って地厚に編まれたものほど、ストレートにぜいたくなものだったのでしょう。

ベストの色調が左右の身頃で、また前後でも違います。全体に赤茶っぽいまだらで、そのまだらの色が途中ですっぱりと切り替わっています。余り糸を数本引きそろえて、足りなくなったら違う色をつないだからでした。

ミトンも同様に、残り糸を取り合わせた様子で、手のひらと親指の色が違います。すり切れた場所はこまかく糸で刺し埋めています。

左／テレサさんのお舅さんが着ていたものだそうです。
右／エブリデーショールという呼び名からもわかるように、アランの女性にとってショールは欠かせないものでした。かぎ針編みが多かったそうです。

なんと、すごい。ものとしての寿命を全うしてばったり倒れたようなこれらのニットは、おそらくこの島では当然な役の立ち方をしたということなのでしょう。割と最近まで、ニットとはこういうもので、島の人たちは「よそいき」や売るためのニットと日常着を分けていたのかもしれません。

ケーブルやボブルを駆使して編まれるアランニットは、堅実な暮しの中で、特別晴れがましいものとして、丹念に作られたものだったのでしょう。

驚いているわたしをしばらく見ていたテレサさんが聞きました。「あなた、編みものを仕事にしているって、ちゃんと稼げているの？」

ハンドニットで稼ぐということの難しさを、この島の人である彼女はよく知っているのでしょう。

セーターを一枚編むのにかかる時間を平均的な時給に掛けて、毛糸代をプラスすると、どきっとするくらいの金額になる。編む人は、その金額をそのまま口にするのをためらってしまう。それで、済んだことは済んだことみたいに、むにゃむにゃと自分を納得させて、その何分の一かの値段をつけてしまう。それはわたしもそうだったし、アイルランドのハンドニットの値段を見たときも、ずきんと感じたことです。

なんと答えていいかわからないうち、その会話はどこかへ消えました。

確かに、簡単ではないけれど。ものを作って売るということ、自分の仕事に値段をつけていくことは。でも今は、それもおもしろいと思っています。

世界にはたくさんものがあふれていて、でも一人の人が大事に思えるものの数はきっとそんなに多くない。その中で、人が欲しいと思ってくれるセーターのデザインをしたい。

わたしの答えは「しっかり稼ぐつもりです」なのです。

夕暮れのイニシュマン島。石垣に囲まれたマリア像には、島での散歩道で見かけた花々が供えられていました。

遊ぶことと編むこと

アラン諸島のニッターたちがニット販売会社に組織され、セーター類を安定して供給できるようになった1950年代には、アランセーターの技法はほぼ定まっていました。

そのいちばん大きな特徴は「往復編み」です。前後身頃、袖ともに、表、裏と編み地をひっくり返しながらパーツを一つずつ完成させて、その後でとじはぎをしてセーターに仕立てるやり方。今のわたしたちにはおなじみの手順ですが、20世紀前半までセーターといえば、ガンジーセーターのように「輪」で編むのが一般的でした。

ではなぜ、アランセーターは往復で編まれるのでしょうか。

まず、当時婦人雑誌などで広まった、洋裁のパターンの影響が考えられるでしょう。さらに、身頃を前後に分けたほうが、編み地の幅の調整が比較的容易で、ニット会社からのサイズの要望にこたえやすいということもあったようです。

わたし自身の経験から思うのは、往復のほうが模様を編むときに楽だということです。表を見て編むときだけケーブル編みの操作をすることにして、裏側を編むときには、前段の表目と裏目をたどっていく。ケーブル編みをしなくていい段が1段おきにやって来るので、ちょっとほっとする。アランのニッターも同様に感じたのかも、と思います。たくさん編むうちに、そして、たくさん編むために選ばれた技法が「往復編み」なのでしょう。

アランセーターのもとの形は、1930年代に作られたと考えられています。そのころのものは、紺色の細い糸で編まれたものが多く、ぱっと見た印象はすごく手の込んだガンジーセーターのよう。構造もガンジーセーターに似ていて、身頃も袖も輪で編まれ、脇下から袖につながるまちもあります。いわば、アランセーターのガンジー時代。ここから往復編み

© National Museum of Ireland

National Museum of Ireland-Country Life
Turlough Park, Castlebar,
Co.Mayo,
Ireland
TEL.+353 (0)94 903 1755
http://www.museum.ie/

アイルランドの田園の暮しを伝える民芸品や生活用具などを収集したこの博物館は、アイルランド西部メイヨー州の緑にあふれる公園の一角あります。アランニットはもちろん、アランの女性の日常着であるフランネルのスカートやショールなどが展示された常設ギャラリーも見ごたえがありました。

へ移っていくまでの時期を象徴するような、たいへん興味深いセーターがあるので見てみましょう。

アイルランド国立博物館カントリーライフ館にある、ずんぐりしたスタンドカラーのセーター。1942年に、クラフトショップを営むミュリエル・ガーハンによって寄贈されたという記録が残っています。ここに来て、糸がだいぶ太くなり、色も紺色ではなくなっています。このセーターは、おもしろいことに、裾のリブは輪で編んでいるのに、続く身頃は前と後ろに分けて、往復で編まれています。

そして、一番の特徴として、分かれた身頃がそれぞれ違う模様になっているのです。片方は、V字の透し模様にボブルを配したセンターパネル、両脇にトレリスのようなケーブルと、ブラックベリー模様。もう片方は、葉っぱみたいなダイヤ柄とボブルのセンターパネルに、3目ずつの交差を2本向かい合わせたケーブル、その横はガンジーでも使われる裏目のジグザグ柄。

どうして前後身頃を別々に編むことにしたのでしょう……。模様を2つのパーツに分けて覚えるため？　今となっては、その理由は知りようもありませんが、一つだけ言えるのは、この編み手は、とにかくたくさんの種類の模様を、一枚のセーターに入れたかったんだな、ということです。

それぞれの身頃に違う模様を数種類並べて、トータルの大きさをそろえるのは、きっと骨だったことでしょう。でもそれがうまくいったときには、晴れ晴れした達成感を味わったはずです。慣れると、ルーチンでアランを作れるようになるものですが、このセーターはそれを拒んでいる感じがある。ぎゅっと試みがつまっていて、編むことと遊びが一つになっている。何でしょうか、わたしはこのセーターを見ていると、わくわくするのです。

アイルランドで編まれてアメリカに輸出され、縁あって日本へ。獣の匂いも脂もすっかり抜けて、柔らかな風合いです。タグにある通りの名前から、現在の場所に移る前の 1950 ～ '70 年代前半のものであることがわかります。

ずっとクレオに行きたかった

古着屋で見つけては買った古いアランセーターやカーディガン。いつの間にか簞笥からはみ出すほどの量になって（かさばりますからね）、でも、出会えばこれもご縁とまた買うことになり、まだまだ増え続けています。

時々、整理がてら取り出して眺めるのですが、そのたびにやっぱりいいなと思うのが“Cleo”というタグのついたクリーム色のカーディガン。

一見ふつうっぽい。でも、すごくかんじがいい。その「かんじのよさ」の理由はなんだろうと編んだ道すじをたどっていくと、小さな仕掛け、というか心づかいがポイントごとになされていることがわかります。

たとえば裾のリブから身頃のケーブルに移るときの目の増し方。リブにつながるケーブルのバランスを考えて増しているので（ポケットのちょうど真ん中あたり）、柄がすっきりおさまって見えます。

身頃の脇は袖つけ位置までかのこを編みながら 5 目ほど増していて、トータル 10cmのゆとりをつくっています。腕の上げ下げが楽で、動いても着くずれないのは、この増し目が脇下のまちになってくれているからか……ただのボックス型じゃないからなんだ、すごく着心地がいいのは。

そしてこれ、なんかするすると作ったように見えるんだよね……と、さらに編み地をたどると、前立てのかのこは別編みではなく、前身頃に続けて編まれている。編む人が編みやすいように、ひと筆書きのようにデザインされている。これもぱっと見て気持ちがいい、自然な印象を受ける理由の一つかも。

デザインということでいえば、脇にちょっと見慣れない柄。かのこの入ったダイアモンド柄の下半分だけを使って、さらに裏目の線を 3 本足している。少しガンジーっぽいこの柄、もしかしてこのセーターをデザインした人が作ったのかもしれない。これがあることで全体の印象が締まっているんだ。

はぁーーーーー。やっぱり好きだ、このカーディガン。そして似合うんだよね、わたしに（主観ですが、ここは大切）。

こんなカーディガンを作ったお店にぜひ訪れたいと思いました。

Cleo
18 Kildare Street,
Dublin 2,
Ireland
TEL.+353 (0)1 6761421
http://www.cleo-ltd.com/

「クレオ」の歴史を綴った、とても読みごたえのある本をお店のかたにいただきました。このカーディガン、見覚えがあると思ったら、この本の編集者さんがよく着ているものとほとんど同じ。彼女も古着屋さんでひとめぼれして買ったそう。

創業は1936年。アランセーターがアイルランドを象徴するクラフトへと育っていく過程で大きな役割をにない、今もアイルランドのハンドニットと手織りものを作り続けている「クレオ」は、ダブリンの中心地、トリニティ・カレッジのほど近くにあります。外から見るとこぢんまりとした住まいのような構えですが、一歩店内に入ると、色とりどりのニットに圧倒されます。

お店のかたはこちらから質問するまではそっとしておいてくださるので、気になるセーターがあったら広げて眺めながら、納得がいくまで自分の一枚を探すことができます。わたしも棚の前に陣取って、ずいぶんたくさんのセーターを拝見しました。

赤や紫といったカラフルな糸で編まれたセーターは、棚一杯に積まれて、「クレオ」独特の色を形成していました。もともと多弁なアランの柄はいろんな色に染められ、前に立つ人を圧倒するようなにぎやかさです。デザインも自分の持っていたカーディガンから想像していたよりもフェミニンであったり、デコラティブなものが多いように感じました。

広げては眺め、を繰り返すうちに知ったのは、アランセーターは「エバーグリーンで、定番的なもの」だというのは一つの側面にすぎないのだということ。

80年近くにわたって作り、売り続けていくには、時代時代で変わる人の好みを受け入れて、デザインに反映させていくこと、さらにそこから自分で差し出す何かを模索することなしにはありえないのだということ。

「クレオのアランは、今はこうです」と言っているアランと出会って、じゃあ、わたしのアランは？という問いの輪郭が、前よりはっきりしてきた気がします。

オモーリャのアンさんが言うことにゃ

ダブリンの「クレオ」とほぼ同じ1938年、アラン諸島への玄関口である港町ゴールウェイに店を構えた「オモーリャ」。アランニットの全盛期を作ってきた名店の一つで、今もオーセンティックなデザインを中心に、手編みのアランをどっさり用意してお客を待っています。

アランセーターってだいたい似ている、という気持ちでお店に入った人も、一枚ずつ広げて眺めていくうちに違いがわかってくるのがおもしろいところ。自分に、いうなれば「セーター眼」ができていくのを感じるのです。それも、あれこれ見比べるのに充分な、この枚数あればこそです。

「オモーリャ」の今の顔ともいえるアンさんにお話を伺いました。2代目の奥さんとして店を切り盛りする彼女は、眼鏡の奥の目が時折鋭く光る、貫禄のある女性です。

アンさんはデザインの指示を具体的にされるのでしょうか？

「それはわたしの口出すことではないわ。だれがどんなステッチが好きかはよくわかっているけどね」

なるほど。一つ一つのセーターに個性が感じられるのは、創造性に任せているからなのですね。

セーターを作るために大切にしていることは、糸選び。「オモーリャ」では、良質なツイード製品でも知られる「スタジオ・ドネゴール」から、耐久性のある太番手の糸を仕入れています。ゆるくない、しっかりした編み地になるように、針の号数はニッターと話し合って決めるそうです。

ニッターはアイルランド各地に170人ほどいて、そのほとんどが年配の女性。最年少は、イニシュマン島出身の40代のかただそうです。

新しいニッターは育っているのでしょうか。

「若い人に手編みを教えてはいるけれど、ここにあるようなものはできないわね」

意外な答えに驚きながら理由を伺うと、「才能（Talent）よ」と。それでは、将来、新しい才能が生まれる可能性は？

Ó'Máille
16 High Street,
Galway,
Ireland
TEL.+353 (0)91 562696
https://www.omaille.com/

左ページ／左は、アンさんの学生時代のお気に入り。マリッジラインという名前のダブルのジグザグは、二人で歩む道の苦楽を表わしているのだとか。右は、最年少ニッター作。
右／映画「静かなる男」の衣装の多くを「オモーリャ」が手がけたそう。「撮影の合間に店を訪ねてくれた役者もいたのよ」とアンさん。壁の写真は、ジョン・ウェインですね？

「あるとは思わないわね。今抱えているニッターたちはまず才能を持っているし、とても若いころに始めたし、注意深く編むしね。この人たちは家庭を守りながら、パブにも行かずにずーっと編んでいたけれど、今の人たちはそうじゃない。始終走り回って忙しいでしょう」

今回のお話の中で、この「才能」という言葉がすごくおもしろかったのです。昔の人は才能があったって、どういうことなのかな……。

心惹かれるニットに古い時代のものが多いのは、わたしも感じることです。デザインがかっこいいとか、古色がついているからということを差し引いても残る何かがあって、それがセーターのキャラクターとして見えるのだけど、今のものとは何かが違う。なんだろう。博物館に収められている古いセーターを前にしたとき、なぜこんなにときめくのか、その答えがアンさんの「才能」という言葉に隠れている気がするのです。

わたしが思うのは、こんなこと。

子どものころ、お年寄りがきれいに縄をなったり、きりっと薄い羽根の竹とんぼを作ったりするのを見て感嘆したものでした。なんでそんなに器用なの、と思っていた。

今自分をかえりみると、そんなことができないままに大人になってしまっている。昔の人が、暮しの中で、今よりずっと体と手を使っていたのは確かでしょう。そして手を使うためにはまず心を向けることになる。身の回りの万事への、心と手の使い方の違いが、ものを作るときに出るのかもしれない。

アランニットを通してアンさんが見ようとしている「才能」は、一人ずつ持って生まれた個性を生かすために、充分な時間と気持ちを注げる、そういう環境を作ってこそあらわれてくるものなのかもしれません。

そうすれば、わたしにも可能性は開かれるのかも、と思います。

GU 170
GU 417
GU 21
GUERNSEY

Guernsey Island

ガーンジー島

イギリス沿岸で漁師のユニフォームとして編まれた
ガーンジーセーター。
その名前の由来となるガーンジー島では、
今も漁師がこのセーターで働く姿が見られます。
自治の気風の強いこの島は、
独自の貨幣を持ち、
道では車より馬が優先といったユニークな法律も。
藤のからまる領主の館のような佇まいの博物館と、
自分たちのペースでセーターを作る
ファクトリー２つを訪ねました。

ブリテン島の南側、イギリス海峡にあるチャネル諸島の中の一つであるガーンジー島は、イギリスの王室属領でありながら、行政上は独立しています。フランスのノルマンディー沿岸からわずか50km沖にあり、公用語は英語とフランス語。街並みはどこかフランスの香りが漂い、時折フランス語の看板も見かけます。一年を通して温暖で、マリンスポーツや海の幸が楽しめるアクセスのよいリゾート地としても人気があります。この島の名を冠して有名なのは、セーターともう一つ、羊ではなく牛。ミルクのおいしいガーンジー牛の故郷として、この島を知る人も多いようです。

毎日ガンジーセーターを着て海に出るというセント・ピーター・ポートの漁師さん。この日の収穫は、ガーンジークラブという島特産のカニ。

ガンジーセーターって何でしょう

「ガンジーセーター」。この言葉を言ったときの反応で多いのは、「あの、インドの、セーター？」というものです。

確かに。ガンジーといえば、あのガンジー。インド独立の父、マハトマ・ガンジー。彼は糸紡ぎをしたことでも知られているし、その連想もうなずけるのですが、その糸でセーターを編んだかは、どうでしょうね（編んでいらっしゃったら、おもしろいけれど）。

わたしが知っているガンジーセーターは、イギリスの漁師のユニフォーム。メリヤス地に裏目で模様を入れた、紺色のウールのセーターです。今時のセーターにしては硬い糸で、それも密に編まれているので少し重い。その分、風も通しにくく、水にも強い。身幅にゆとりをあまり入れないため、動きやすいように、脇の下と、しばしば、衿のつけ根にも三角のまちを編みます。

ガンジーという名前を知らない人でも、実際に見れば、これか、とわかることが多いのではないでしょうか。この特徴的なセーターは近ごろ、日本の洋服屋でもよく見かけるようになりましたから。

では、ガンジーセーターはどうしてこう呼ばれるのでしょう。

それは16世紀、エリザベス1世が、ニットのギルドをチャネル諸島で興したことに端を発します。当時編んでいたのは主にメリヤスの靴下でしたが、時代が下るにつれ、その島々の名前が、広くニットを指す呼び名になったのだそうです。

わたしたちが今「自分の」ガンジーセーターをデザインできるのは、20世紀前半にイギリス沿岸部を歩き回って、パターンを探し、記録した人たちのおかげ。Mary Wright『Cornish Guernseys & Knit-frocks』（左）、Gladys Thompson『PATTERNS FOR GUERNSEYS, JERSEYS & ARANS』（右）

島の名はガーンジー島。そして、ジャージー島。ジャージーはご存知「ジャージ」。今はメリヤスで編まれた素材のことや、体操着のことなんかをそう呼びますね。

もともとイギリスでは、セーターのことをジャンパーと言うことが多く、18世紀中ごろにフィッシャーマンセーターがイギリス沿岸部に広まるころには、それは「ガーンジージャンパー（Guernsey Jumper）」または「ガンジージャンパー（Gansey Jumper）」と呼ばれるようになりました。

なんとか説明できたでしょうか？

ガーンジー島の景色は、松が高く伸びていたり、緑がもりもりと豊かで、どこか南国的です。アラン諸島やシェットランド諸島にくらべると、ずいぶん温暖で暮らしやすそう。フランスとイギリスにはさまれたリゾート地でもあるらしく、商店や学校といった建物も洗練されています。空港でいただいたガイドブックには、ヨット、サーフィンといったアクティビティ、新鮮なシーフードの写真が並びます。

セーターの代名詞のような名前の島で編まれたガンジーセーターを見たいと思いました。

この島の暮しを250年昔までさかのぼって展示しているガーンジー・フォーク・アンド・コスチューム博物館を訪れました。

地方の暮しを見せてくれる、味わいのあるこういう博物館が大好きです。農業コーナーにトマトがいっぱいあるなあと思っていたら、島の特産なのだそうです。

ここではガンジーセーターに加え、繊細なレースの衣装や、農夫のユニフォームであるコットンのスモック、また鍬《くわ》や、ロブスターを捕るためのかごといった、仕事道具も見られます。

120年前に編まれた、たいへんすばらしいガンジーセーターが展示してありました。この島のセーターは柄をあまり入れないのが特徴のようで、裾に波のようなラインが1本入ったきり。それがかえってインディゴの色の存在感を際立たせて、美しい。ずっと見ていたくなります。

ぼろぼろになるまで着古されるのが当然のガンジーセーターですが、すり切れた跡がないのは、よそいき用だったためでしょう。ウールなのに、シルクのような落ち着いた光沢があります。

裾は前後身頃に分けて、チャネル諸島独特の作り目で編み始められています。ピコットのようなこの作り目は、シンプルなセーターのいいアクセントになるうえ、糸３本で作るので、すり切れやすい裾の補強にもなります。

キュレーターのモリスさんもガンジーセーターを１枚持っているそう。漁師はセーターをふつう何枚くらい持っていたのでしょうか、と聞いたところ、「2 枚です。１枚は毎日漁で着るため。もう１枚は日曜に教会に行くとき用」という答えでした。

漁で着ても洗うことはないため、「本物のガンジーセーター」は、海の匂いでいっぱいなのだそうです。

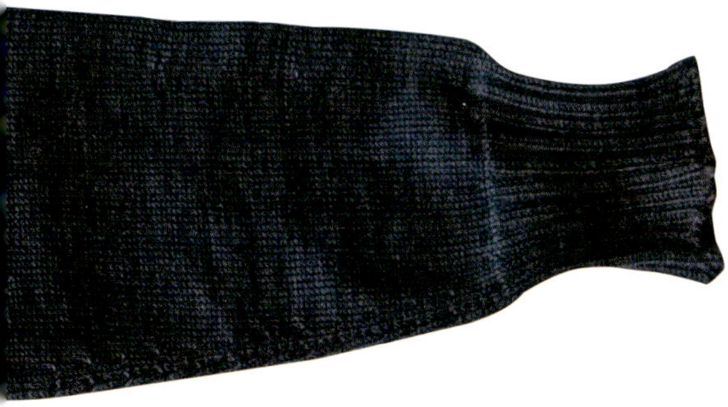

左、右／120年前のガンジーセーター。靴下を編むのと同じ針で編まれたという、気の遠くなるような目の細かさです。裏も色あせることなく美しい。
下／ガーンジー島スタイルの衣装を着た人形たち。職業によって、いでたちは変わります。タバコをくわえた漁師は紺色のセーター、ひげをたくわえた農夫はゆったりしたブルーのスモック。この独特な顔がすごく好き。

National Trust of Guernsey Folk and Costume Museum

Saumarez Park, Castel, Guernsey GY5 7UJ
TEL.+44 (0)1481 255384
http://www.nationaltrust.gg/places-to-visit/folk-costume-museum-saumarez-park/

ミュージアムは、3月中旬～10月末のみのオープンで、冬期は閉館しています。訪問の際は、事前に問い合わせてください。

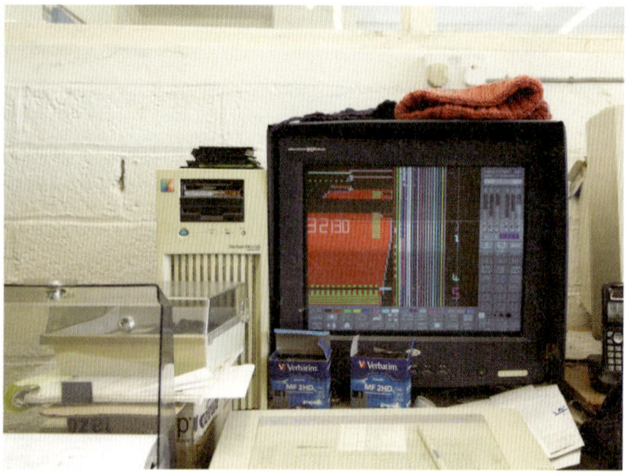

Guernsey Woollens
http://guernseywoollens.com/

「ガーンジー・ウールンズ」では、アランニットのデザインも採用。裾には、ガンジーセーターの伝統のガーターのディテール（日本人に人気なのだそう）を残しています。社長のフィルさんは、糸の調子を見ながら「このマシンは和歌山県製だよ」と教えてくれました。

機械編みのガンジーセーター

1980年代後半、高校生だったわたしは、紺色のセーターを新潟の駅ビルで買いました。それがガンジーセーターだということは、買ってからタグを見て知ったことです。ばりんとした硬い風合い、前後差のないスタンドカラー、裾はガーター。時はDCブランド全盛期、無地の地味なセーターが、どうやって17歳のわたしの気を引いたのでしょうか。

今思い出せるのは、無愛想だけれど堂々として見えたこと。メンズサイズしかなくて自分には大きかったし、結構値が張ったけれど、たいして迷わずに買ったこと。

そのセーターは機械編みでした。かっちりと堅牢で、毛玉もつかず、ずいぶん長く着ました。着ているとよく、「いいセーターだね」とほめられたっけ。

LE TRICOTEUR

Le Tricoteur
http://www.guernseyjumpers.com/

「ル・トリコトゥール」のこだわりはハンドフィニッシング。タグには、仕上げに必要な目数や仕上げをした人の名前が入ります。たまたま新米の技術指導に来ていたかたに、スリーニードルキャストオフの肩はぎを見せていただきました。ガンジーセーターがお似合いの紳士は、社長のニールさん。

ガーンジー島には2つのガンジーセーター工場があります。どちらもこぢんまりしていて、ひと目でどの機械が何をしているかが見渡せます。機械から身頃の編み地がじわじわと下りてきて、ボスン！と受け皿の中に落ちる。工場のおじさんは機械が動く様子をじーっと見ていて、どこか調子が悪いと思うとボタンを止めたり、糸をかけ直したりといった世話をします。とじはぎは職人による手作業です。日本で見るガンジーセーターに、どちらかのタグがついていることが多いことを考えると、ふしぎなほど、人の手と目をかけて作られています。

昔わたしを引きつけたセーターの、どこか違うかっこよさの理由を見つけた気がする、工場見学でした。

上空から見たガーンジー島。この本で旅した島々の中で最初に訪れたのがここでしたが、今思えば、ずいぶん都会だったんだなあ。

London

ロンドン

スポーツウェアとして、モードとして、
ホビーとして、時にはアーティストによる
ニットゲリラの素材として。
ロンドンでは、編みものはいつも、
気持ちのゆとりとともにあるようです。
「毛でできているメディア」とでも呼べそうな
その使われっぷりは、
街の人がウールを持つとどうなるか、の
心躍る作例集のようでもあります。
素材としての自在さと、ふかふかの触感が、
彼らのクリエーティビティを
呼び覚ますのでしょうね。

言わずと知れたイギリスの首都。19世紀半ば〜20世紀初めまでは世界一の人口を誇り、現在もEU最大の都市。経済、商業、文化、芸術、ファッションなどにおいて長い歴史を持つ街であると同時に、常に時代をリードする存在でもあります。日本からは成田と羽田から直行便があり、この旅でもすべての訪問先の拠点となりました。芸術的・資料的価値のあるニットをコレクションした博物館、感度の高いアーティストが集うヤーンショップ、アンティークから一昔前のジャンクなものまで古着のニットの宝庫でもあり、編みものシーンの旬を捉えるには、はずせない街です。

Cravatに会いに

絵や彫刻はもちろん、陶磁器や宝石、服におもちゃに電化製品まで、400万点のコレクションを有するヴィクトリア・アンド・アルバート・ミュージアム。1852年にロンドン万博の展示品をもとに開館して以来、世界中から宝物を集め続けてきた、ファインアートよりは「用の美」、暮しにまつわるアートを得意とする博物館です。「おばあちゃんの屋根裏部屋」の異名を持つこのV&A博物館には、もちろんニットもたくさん収蔵されています。

わたしには、ずっと見たかったセーターがありました。

エルザ・スキャパレリの「Cravat」です。スカーフ（Cravat）の絵を、心持ちぎこちない陰影をつけてセーターにはめ込んだ、大胆なデザイン。別名トロンプルイユ（だまし絵）セーターとも呼ばれています。服飾の歴史の本にしばしば登場するこのセーターは、もう90年近くも前に作られたのに、見るたびに新鮮で、ずっと眺めていたくなる。わたしの夢のセーターなのです。

スキャパレリは1890年、イタリア生れ。パリ・オートクチュールの黄金期を、シャネルらとともに作ったといわれるデザイナーです。彼女のデザインを表わす言葉を選ぶなら、「ウィット」、あるいは「ファンタジー」でしょうか。たとえば、当時開発されたばかりだったファスナーを、わざと目立つようにとりつけたドレス。ハイヒールを逆さまにした形の「履ける」帽子（これ、すごくイカしています）。

まじめにばかばかしく、きてれつでかわいい。こんなものを作る人のニットがすてきでないはずがありません。

念願かなって、Cravatの実物に会いに行きました。常設展示にはなっていないので、博物館付属の

左／スカーフは後ろ姿にもきちんと描かれていたのでした。想像していたより小さなスカーフだったんだなあ。初めて見た愛らしい姿に感激です。
右／黒い身頃の裏側にも、白の糸がみっちり渡り続けていることがわかります。

「クロスワーカーズ・センター」に閲覧の申込みをして、倉庫から出して見せていただくことになりました。こういうシステムがあるって、すばらしい。一般の人でも「これが見たい」とお願いすれば、目当ての本物とサシで対面して、じっくり見ることができるのですから。

V&A博物館は、もともと産業の振興を目的として作られたこともあり、生産者がいいデザインのものを作るための「啓蒙」を、今になっても続けているのです。おかげでわたしも、その恩恵にあずかることができます。

スタディルームに入ると、机の上に敷かれた白い布の上に、セーターが待っていました。黒い身頃に白いセーラーカラーと、白いカフの編込み。スキャパレリ自身から寄贈されたというそれは、きっと彼女自身が着ていたものだったのでしょう、思ったより小さく、かれんでした。

かわいい。すごく。

着てみたいなあ。似合うかな。いや、ぜひ、似合いたい。

このセーターの編込み、一見インターシャ（編込みの裏糸を横に渡さず、縦に渡す方法。アーガイルや縦縞などを編み込む際に用いられる）に見えますが、かなり特殊な技法です。

どこが特殊かというと、無地に見えるところも全部、後ろに配色糸が渡され続けているのです。アルメニアンニッティング。3目おきくらいにびっしりと渡り糸を編みくるむテクニックです。

黒地には白、白地には黒の糸がぽつぽつと顔を出しているのがわかると思います。大変な手間ですが、おかげでセーターにはなんとも言えない、いい表情、彼女の言葉によると「印象派の絵のような効果」が生まれています。

The Clothworkers' Centre

Blythe House, 23 Blythe Road, London
W14 0QX
http://www.vam.ac.uk/
clothworkers@vam.ac.uk
個人、団体ともに、事前予約の上で訪問が可能。

左上／「クロスワーカーズ・センター」は、V&A 博物館の本館より車で 10 分ほどのブライスハウス館内にあります。
右上、左下／レセプションで身分証明書を提示して、3 階のスタディルームへ。貴重品と筆記用具のみ持込みが可能です。
右下／スタディルーム内は、膨大なコレクションを収めているであろう様々な什器が整然と並びます。この木棚の引出し一枚一枚に、中国のテキスタイルが収められているのだそう。

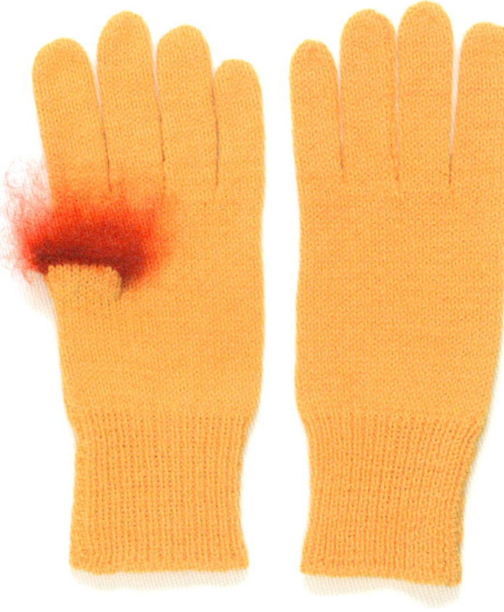

左／これを両手にはめてスキップしたらゆかいでしょうね。「前へならえ」も楽しそう。Freddie Robbins, Peter（1997-1999）
右／鮮やかな手際とでも呼びたいモヘアの使い方。ほわほわスプラッタ。Freddie Robbins, Conrad（1997-1999）

スキャパレリのデザイナーとしてのキャリアをスタートさせたのは、このセーターだったといいます。社交界のランチにこれを着て行った彼女は、めざといご婦人たちに取り囲まれ、口々に頼まれました。
「わたしにも作ってくださらない？」と。

オーダーにこたえるうちに、セーターはさらに評判を呼び、瞬く間にパリで大流行しました。とはいえ、これは手編みです。それも、慣れた手のニッターが編んでも、かなりの時間を要するタイプのセーターです。欲しい人全部に行き渡らせるのは、なかなか大変なことだったでしょう。

その当時、すでに機械編みの製品が出回っていましたが、おそらくその可能性はそれほど検討されなかったのではないかという気がします。
「機械とか、大がかりだし、これでいけばいいじゃない。このままがかわいいもの」と。

根拠はありませんが、きっと、そう言っただろうという気がします。

彼女は腕のいいニッターを集めるところから、このセーターの生産を始めたのでした。

そもそも最初の一枚が編まれたきっかけは、彼女の友達が着ていたセーターでした。いいセーターね、とほめながら、それがアルメニア人の女性によって編まれたということを知った彼女は、自分も編んでもらおうと、デザイン画を描いたのだそうです。

スカーフを肩からかけて首もとで結んだ、彼女いわく、小さい子どもが描いた落書きのような絵。一度、二度と試作を重ねて、三度めでようやく、彼女の心にかなうものが編み上がってきました。

スキャパレリのひらめきと、美しいものへの感覚が、アルメニアの伝統的な編みものの技法を借りて、優雅と素朴が同居する、ふしぎな味わいのセーターを生んだのです。1927年のことでした。

何を編む？　ふと、毛糸の棚に目を向けると、
瓶詰めの火星人の編みぐるみがこっちを見つめ返している。何を編んでもいいんだ……。

レイチェルさんのニッティングシースコレクション。中には
博物館にあるようなものも。

プリック・ユア・フィンガー

ロンドンの東端、もともとは移民の街として知られ、最近はアーティストが多くアトリエを構えるエリアとして注目を集めるベスナルグリーン。小さな商店が軒を連ねる路地の一角に、ひときわ目を引く店があります。

「プリック・ユア・フィンガー」、「自分の指を突つけ」という名前のヤーンショップです。「ルーツにパンクロックと、アーツ＆クラフツ運動を持つ」というホームページの言葉どおり、カラフルなファブリックを裂いて編んだ「PRICK YOUR FINGER」の看板文字は、はみ出した糸端を風にたなびかせながら、イギリスらしい、端正な深緑の外装とふしぎに調和しています。

出迎えてくれた店主のレイチェルさんは、笑顔の優しい、チャーミングな女性です。いでたちはフェミニンでパンキッシュ。ワンピースの上にはおっているカーディガンがすごくすてきで、あいさつが済むや、見せていただきました。前端が編みっぱなしになっていて、糸端がぶらーんとたれ下がっているのが、楽しい。

「作りかけのものを持ち寄るワークショップのために編んだんだけれど、この未完成な感じもいいなと思って、そのまま着ています」

前身頃には、ノルディックのモチーフを取り入れながら、物語風な絵が編み込まれています。肩のあたりに小さな家。その下に木のモチーフのボーダー、さらにハート柄のボーダーがあって、いちばん下には手を振っている男の人。もしかしてボーイフレンドですか？

「そう。今はアメリカにいてなかなか会えないから、いつか一緒に住む家を、ここに編み込んだんです」と教えてくれました。

店の中は、どの壁もにぎやかに、糸やオブジェで飾られています。ジェイミソンズのシェットランドヤーンにガンジーヤーン、ご自身で紡いだファンシーヤーン。すべてイギリス製の糸なのだそうです。

Prick Your Finger

現在は閉店しています

上／「現代版シンデレラ」がテーマの地元アーティストによる作品が展示中。トイレ、吸い殻、脱ぎ捨てたハイヒールなどをかぎ針編みで表現。
左下／レイチェルさんは、わたしの拙い英語をハートで理解してくれました。
右下／イギリスの農村の 1930 年代、編みもののある風景。

イギリスは羊の種類も豊富ですよね、と言うと、レイチェルさんはおもしろいものを見せてくださいました。粗い糸で編んだ手のひら大の編み地です。
「ブリティッシュウールの中でもいちばん硬いといわれる、ハードウィックシープの毛で編みました。さわってみますか？」

うーん、とてもごわごわ、ちくちくします。
「もともとカーペットによく使われる品種です。でも昔、わざわざこの毛でパンツを編ませて、履いていた人がいました。12世紀の聖職者、トマス・ベケット。非常に信仰心が強い彼は、あえてちくちくのものを身にまとっていました。誰よりも神様の近くにいるためには、そうするべきだと思ったのね。その話を知って、どんなものかと思って、編んでみたんです」

冗談みたいなプロジェクトだけれど、レイチェルさんはトマス・ベケットのことを、ちょっといじらしいと思っているのでは、という気がしました。ヘンリー2世と対立して結局追放されたこの聖職者に、パンクロックに通じる反骨精神とやせがまんを見ているのでは、と。ピアシングとか、スタッドとか、感情を体の痛みで表現するパンクスタイルと、ちくちくパンツはどこか似ている。

彼女が仕掛けたいたずらを探しているうちに、以前本の中で見たニッティングシースを見つけました。腰のベルトに引っかけるように差し込んで、穴に編み針を差して使う道具。シースは刀のさやという意味です。
「これがあると、編みものの重みを手で支えなくて済むから、早く編めるんですよ」

早く編めるのか……。わたしもぜひ一つ持つべきではないか、と思っていると、レイチェルさんがおっしゃいました。
「いわば、ラブトークン。男性から女性へ、愛のあかしとして贈ったものです」

わあ。もしかして、男性が自分で作ったのですか。
「そう。まっすぐな形のはあまりできがよくないの。彼女の腰にフィットするように作らないとね」

なるほど。一つ一つ彫りの繊細さも形も違います。

編みかけのトマス・ベケットのちくちくパンツ。糸玉の芯にしているのは骨！

「この四角いのは、シースの中で木の玉が転がる仕掛けになっていて、すごくスペシャル。ハートが彫ってあるのは1824年に作られたもので、女性の名前も入っています」

長い間役に立って、つやつやと丸みを帯びたシースは、どれもいい顔をしていました。編みものが女性のあたりまえの家事仕事であった時代、大切な人が作ってくれた道具は、こなすべき仕事の大変さを軽くしてくれたことでしょう。

ボーイフレンドとの未来をカーディガンに編み込んだり、ちくちくパンツを試作しておもしろがったり、ラブトークンのシースに思いをはせたり。彼女にとっての編みものは、いつも人との関係や物語の中に組み込まれているようです。

レイチェルさんは、その物語を動かす「仕掛け」として、編みものを人々の中に投げ込んだ人でもありました。

店を持つより以前の2001年に、彼女は友達のエイミーさんと「Cast Off」という編みものサークルを作りました。結成の理由は、自分たちの他に編みものをする友達がいなかったこと。そして編みものができるようになりたいという友達は、けっこういたこと。このサークルは、いろんな場所で編むということをテーマにしていました。

地下鉄の中で編み、行き着いた先でも編み。場所が変わるたびに、新しいメンバーも増えていきます。老若男女、立場も職業も違う人たちが、編みものをするという目的のために集まり、ひとときを共にする機会を持つようになったのです。レイチェルさんは著書の中でこう書いています。
“人々が地下鉄の中で、おしゃべりしながらせっせと手を動かす光景は、ロンドンで10年暮らしている間中、ずっと夢に見てきたイメージでした。クリエーティブな人々はいたるところにいるのに、家の中にこもっていては、そのクリエーティビティは誰にも見つけてもらえません。編みものは、どこにでも持って行ける数少ないアートの一つだから、そこには無限の可能性があるのです”と。

ユニフォームとしてのセーター

クリケットという競技をご存知でしょうか？

1チーム11人の対抗戦で行なわれるスポーツで、バットとボールを使うところは少し野球にも似ていますが、投手はボーラー、打者はバッツマンと呼ぶとか、ベースがないとか、1試合が4～5日かかることもある、とか、さらなるルールを聞けば聞くほどずいぶん野球とも違う、そんな競技です。なかなか複雑なスポーツ、という印象。

しかし、その起源は16世紀のイングランドまでさかのぼり、試合途中にはティータイムとランチタイムもある、紳士と淑女のためのスポーツだということ、バットの形はボートをこぐオールみたいな形でちょっとかわいい、ということなどを知るにつれて、だんだん興味がわいてきました。

クリケットに関して何でも笑顔で教えてくれたのは、メリルボーン・クリケット・クラブ博物館（MCC博物館）のヘザーさん。

MCC博物館は、1953年にエディンバラ公が開いた世界でも最も古いスポーツ博物館の一つです。古いボールやバット、選手の肖像画、ポスター、クリケット柄のテキスタイルなど、クリケットに関するありとあらゆるものをコレクションしています。そんな由緒ある博物館に「セーターを見せてほしい」だなんてとっぴょうしもないお願い、驚かれませんでしたか？

「こないだもイタリアからセーターが見たいという一行が来たばかりよ。いろいろな研究があるものね」

さて、そのクリケット競技でユニフォームとし

左ページ／白いシャツにパンツといういでたちのフィギュアはロイヤル・ドルトン社製。ワンバウンドの球も打っていいというルールだからか、ゴルフのような構えのバッツマンも。
左上／1940年代に編まれたユニフォーム。リブ以外はメリヤス編みでボックス型のシンプルなもの。

右上／ケーブルのニットに刺繍が入っているものも多くありました。左から、イングランドのユース代表、エセックス、イングランド代表。自分のマークを作ってみたい。
右下／イングランド代表チームは、今も昔も、ブルーのスリーライオンズが目印です。右はMCCのユニフォーム。

て着られていたところから、「クリケットセーター」という名前がついたセーターがあります。イギリスでは、クリケットやボート競技、その他多くのスポーツで用いられたセーターの総称として「スポーツセーター」とも呼ばれます。また、日本では、アメリカのテニス選手の名前にちなんだ「チルデンセーター」としても知られています。

本体の色は白で、ケーブル模様はあったりなかったり。Vネックの衿と手首と腰のあたりに、数本のカラフルなラインが入ります。

この博物館に保管してあるセーターの多くは、選手が実際に試合で着ていたもので、「ここに持ち込まれたときにはそれは汗臭かったのよ。ははは」とヘザーさん。今は化繊のウェアを着ることが多いけれど、少し前までは、しっかりと厚みのあるウールのセーターで試合に臨んでいたのだそうです。

「イングランドは寒いから、真夏以外はセーターを着てプレーしていたんです。オーストラリアのチームでは今でもクリケットセーターを着ていますよ。シープが多いからね」

見せていただいた貴重なクリケットセーターは、古いものほど作りが家庭的というか、おおらかな味があって魅力的です。そしてやっぱり、スポーツマンが着たものなので、すごく大きなセーターが多かった。

選手のお母さんが編んだのかもしれないな、と思いました。「いつの間にこんなに大きくなったのよ」とか言いながら。

こんな優雅なホールで食事をしながら観戦するんです。通常はMCCの会員しか入ることができませんが、アフタヌーンティのための一般開放日もあり。会員になるのに25年待ちなのだとか。

Marylebone Cricket Club Museum

St. John's Wood Road,
London
NW8 8QN
TEL.+44 (0)20 7616 8500
http://www.lords.org/

左上／モノグラムの３本線は競技の要、ウィケット。
右上／ホールからは、青々とした芝生とスコアボードと一般席を望めます。グラウンドは広く、楕円形です。
左下／19世紀終りに活躍したW.G.グレース像がお出迎え。長いあごひげが特徴のこの選手はよほど人気があったのか、肖像画はもちろん、ハンカチなどのグッズも目にしました。
右下／見せていただいたベストと同じものを着た選手の肖像画が、ホールに飾られていました。MCC博物館所蔵。

古着とわたし

古着が好きです。

「なりきり遊び」の気分を、服を着る楽しみに加えてくれるからだと、自分では思っています。1950年代アメリカのモヘアのカーディガンにしても、’60年代のフランスのアーミーパンツにしても、それを着ていた人の気分を淡く感じながら、腕を通したり足を突っ込んだりする楽しみがあるのです。

たとえば100年前にハンガリーの農村で主婦が履いていたという、インディゴ染めのスカートを着るとき。ふつうにTシャツと合わせることが多いですが、そのくるぶしまであるたっぷりしたスカートを、ファスナー代りのひもで腰に結わえて鏡の前に立つと、堂々とした村のおかみさんの気分になります。やはり、というか何というか、くるくる回って即興の農村ダンスをひと踊りしたりもします。

古着はふだんの自分に違うキャラクターを持ち込んでくれるから、それを着て過ごす一日も、自然と服の気分に影響されて楽しい。

この旅でも、なにかしら古いものを着ていました。ガーンジー島では古着の黒いレタードセーターとキルトスカートにウェスタンブーツ。ロンドンでは古着のアランセーターとツイードのスカートにウェスタンブーツ。スコットランドでは古着の白いモヘアのカーディガンと別珍のスカートにバレエシューズ。アラン諸島では古着のシフォンのブラウスとジーパンにバレエシューズ。国も時代もスタイルもばらばら、何でもあり式のコーディネートですが、ひとたび自分のからだに寄せ集めてしまえばその混ぜかげんがゆかいで、「ロンドンでアイリッシュのセーターを着てウェスタンブーツを履く、おかっぱの日本人」というキャラクターになりきるのです。

さて、古着のセーターはわたしのデザインの先生でもあります。

まず、ガンジーセーターやフェアアイルのヨークセーターといった、ある地域特有のスタイルの、デ

左ページ／今回の旅でもすてきな出会いを求めて、ハマースミス・ビンテージ・ファッション・フェアへ。ドレスやバッグ、アクセサリーなど質のいいビンテージが集まっています。
左／ロンドンの収穫 1。アイスブルーのモヘア、波のようなレース模様、ローゲージ、着るとゆらゆらするほどたっぷりした身幅、見れば見るほどロマンティック。わたしは下に「JAWS」の T シャツを合わせるつもりです。
右／ロンドンの収穫 2。1940 年代のケンブリッジ大学のラクロスクラブのセーター。衿は 2 重になっていて、ラケットを振りかぶっても胸もとがぱかぱかしなさそう。

ザインと編み方を教えてくれます。

伝統ニット以外では、パステルカラーのモヘアのジャケットや、刺繍の入ったショート丈のカーディガンといった、ある年代によく作られたニットの特徴を、実物を見て知ることができます。

古着屋に出回るニットは、婦人雑誌などを参考にして、家庭で編まれたものも多いので、ある程度決まった形の中にも、それぞれの編み手のアイディアを見つけられる、つまりたくさんの「我流」を学べるのがいいのです。

アランセーターでいうと、リブのゴム編みがよく1段おきにねじり目になっていたり（裏段を編むときにねじり目を編むのが面倒だったからかな？）、すくいとじではなく、巻きかがりが使われているのを発見したり（薄く仕上がるからかな？）、とか。

あるとき、古着屋の安売りの箱に手を突っ込んだところ、びっくりするようなカナリヤ色の、アクリル糸でリング編みしたセーターが釣れたことがありました。すごいなあ、こんな思い切ったものどうやって着るのだろう、と見ているうちに、その編み地が引っ張っても伸びにくいことに気づきました。

何か理由がある気がして、もじゃもじゃのループをかき分けて調べると、ふつうかぎ針で編むはずのリングが棒針で編んであるのを見つけて、そんなやり方もあるんだ、とびっくりしました。

もちろんそのセーターは買って帰りましたよ。貴重な教材として、また、いつか踊りに行くときのためにも。

新しい何かが見つかったら、自分のニットでもそれをやってみます。そこから本のためのデザインが生まれることも少なくありません。

わたしもできれば、何か小さなアイディアでもいいから、編みものの世界にプラスしていけたらなと思います。

そしていつか、わたしがデザインしたセーターがどこかの古着屋に並んだら、きっとすごくうれしい。

ロンドンで見つけたもの

馬車に乗る紳士をモチーフにした
糸切りハサミはサジューのもの。
糸始末に重宝しています。

Loop
ループ

もともと雑誌のアートディレクターをしていたオーナーのスーザンさんのお眼鏡にかなった、ニットに関するきれいなものでいっぱいの店。世界中から集めた糸が、棚に、かごに、フックにかわいくディスプレイされ、何か編みたくなります。ニットの虫食いをおしゃれに繕ったり、日本の編み図を読み解いたり、おもしろいテーマのワークショップも開催。

15 Camden Passage,
Islington,London
N1 8EA
TEL.+44 (0)20 7288 1160
http://www.loopknittingshop.com/

丸っこい書体が気に入ったブレザーボタンとアランにつける角ボタンを買い求めました。

The Button Queen

ザ・ボタン・クイーン

アンティークのディーラーをしていた先代がボタン商を始めてから60年以上の歴史を持つ、ロンドンでも草分け的存在のボタン専門店。アンティークから新品まで、多種多様なボタンをそろえます。「ブレザーボタン」とラベルのはられた分厚いファイルのストックからは、どこかの企業のロゴが刻まれた金色のボタンを見つけました。

http://www.thebuttonqueen.co.uk/
現在は移転しています

棒針編みのレースのつけ衿が気になっていたところに、ちょうどいい資料を発見。

The Old Bookshop

ザ・オールド・ブックショップ

ロンドン中心部から北へ車で1時間ほどの住宅街にあるファッション専門の古書店。看板のない民家を訪れると、いくつかの小部屋は見渡す限り、本、本、本。オーナーのフェリシティさんは、どこに何があるかを説明すると「あとはご自由に」と言ってくださるので、テキスタイル、ジュエリー、編みもの、刺繡など2万の蔵書を心おきなく眺められます。

36 Gordon Road,Enfield,
EN2 0PZ
TEL.+44 (0)20 8366 0722
http://www.fjwarnes.co.uk/

みんなの編み方。

「いつものように編んでみてください」というお願いに快く応じてくださったみなさん、ありがとうございます。左手に糸をかける持ち方を「フランス式」、右手に糸をかける持ち方を「アメリカ式」「イギリス式」と呼んだりしますが、糸のかけ方、針と編み地の持ち方は編む人の数だけありそうです。ちなみに今回の調査では、28人中23人が右手にかけて編む、という結果に。

Sophia
(Inis Meáin)

Carol
(Shetland)

Susan
(London)

Aileen
(Shetland)

Mariko
(Kasukabe)

Angela
(Whalsay)

Hazel
(Shetland)

Ella
(Shetland)

Fiona
(Fair Isle)

Ramune
(Dublin)

Sophie
(London)

Teresa
(Inis Meáin)

Oliver
(Shetland)

Mati
(Fair Isle)

Sandra
(Shetland)

Hollie
(Fair Isle)

June
(Guernsey)

Linda
(London)

[参考文献]
Alice Starmore (2009) 『Alice Starmore's Book of Fair Isle Knitting』 Dover Publications
Alice Starmore (1997) 『Aran Knitting』 Interweave
Ann Feitelson (1996) 『The Art of Fair Isle Knitting』 Interweave
Beth Brown Reinsel (1993) 『Knitting Ganseys』 Interweave
Hilary O'Kelly (2014) 『Cleo Irish Clothes in A Wider World』 Associated Editions
Kate Davies (2012) 『Colours of Shetland』 Kate Davies Designs
Malachy Tallack ,Roger Riddington (2010) 『Fair Isle Through the Seasons』 Z E Press
Rachael Matthews (2005) 『Knitorama』 MQ Publications
Sandy Black (2012) 『Knitting:Fashion,Industry,Craft』 Victoria & Albert Museum
ジョン・ミリントン・シング (2005) 『アラン島』 (栩木伸明訳) みすず書房
野沢弥市朗 (2002) 『アイルランド／アランセーターの伝説』 繊研新聞社

毛糸について

◯この本で使用している毛糸

キッドシルクヘイズ
Kidsilk Haze ／R
・品質 … モヘヤ70%、シルク30%
・仕立て … 25g玉巻き (約210m)

シェットランド／P
・品質 … ウール100% (英国羊毛100%使用)
・仕立て … 40g玉巻き (約90m)

シェットランドスピンドリフト
Shetland Spindrift ／J
・品質 … ウール100%
・仕立て … 25g玉巻き (約105m)

5プライガーンジーウール
5-Ply Guernsey Wool ／F
・品質 … ウール100% (英国羊毛100%使用)
・仕立て … 100g玉巻き (約220m)

ブリティッシュエロイカ／P
・品質 … ウール100% (英国羊毛50%以上使用)
・仕立て … 50g玉巻き (約83m)

◯毛糸に関するお問合せ先

J ジェイミソンズ (Jamieson's of Shetland)
シェーラ
TEL.042-455-5185
https://shaela.jimdo.com

P パピー
ダイドーフォワード パピー
TEL.03-3257-7135
http://www.puppyarn.com

R ローワン (Rowan)
DMC
TEL.03-5296-7831
http://www.dmc-kk.com/rowan

F フランジパーニ (Frangipani)
ムーリット
TEL.03-3708-6375
https://moorit.jp

→ 41 ページ

コアラのティーコージー

[糸] ジェイミソンズ シェットランドスピンドリフト
オフホワイト（104/Natural white）…25g
グリーン（792/Emerald）…15g
グレー（103/ Sholmit）…5g
濃紺（730/Dark Navy）…少々
[用具] 9号2本、4本棒針　0号4本棒針　毛糸刺繍針
[その他] 化繊わた
[ゲージ] 模様編み　21目40段が10cm四方
[サイズ] 周囲34cm、深さ16.5cm
[編み方] 糸は、ティーコージーは2本どり、コアラは1本どりで、指定の配色で編みます。
ティーコージーは、針にかかった目から編み出す方法で作り目し、ガーター編みを編み、模様編みの2段めで35目に増します。模様編みは2段ごとに色を替えながら33段編み、目を休めます。もう1枚編み、3目ずつ重ねて輪に拾って模様編みを編み、メリヤス編みで減らしながら編みます。残った8目に糸を1周通して絞ります。ガーター編みをすくいとじにします。
コアラのボディは、輪の作り目（p.130参照）をし、メリヤス編みでおしりから鼻先まで編み、わたを詰めてメリヤスはぎにします。手、足を拾い目して輪に編み、わたを詰めて糸を1周通して絞ります。耳を拾い目してガーター編みで編みます。刺繍をし、ティーコージーに縫いつけます。

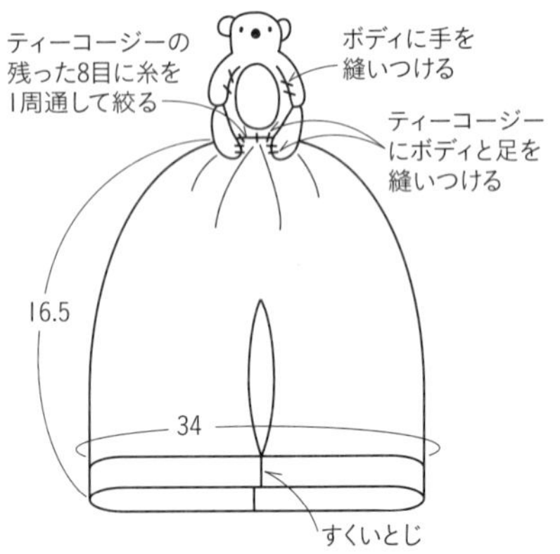

コアラのボディの編み方

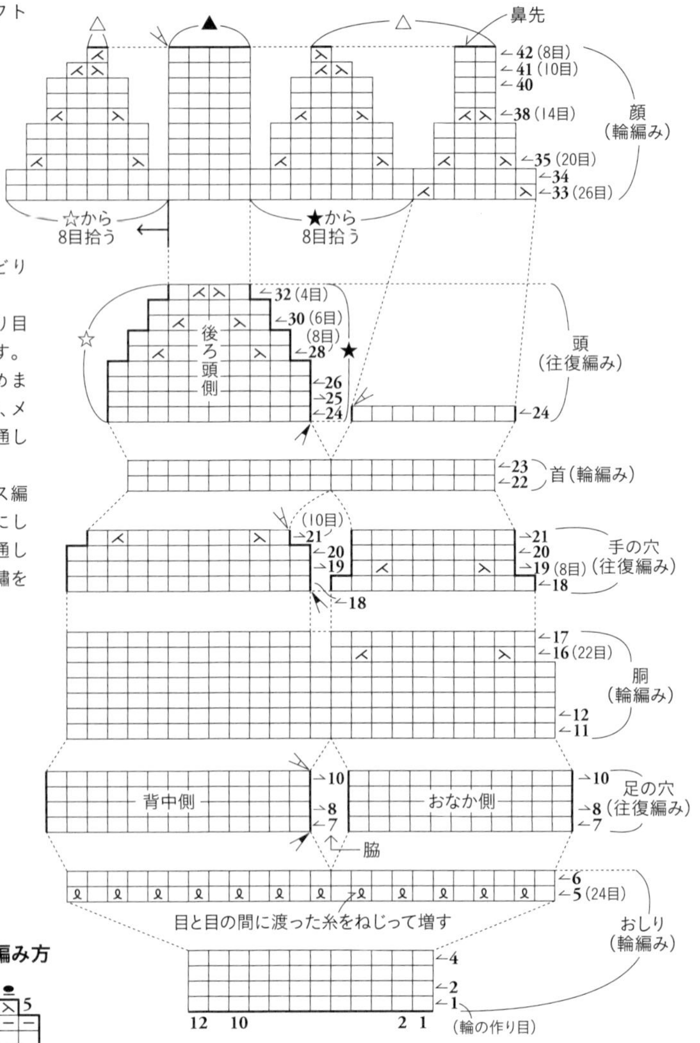

耳の編み方

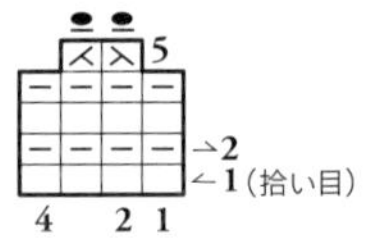

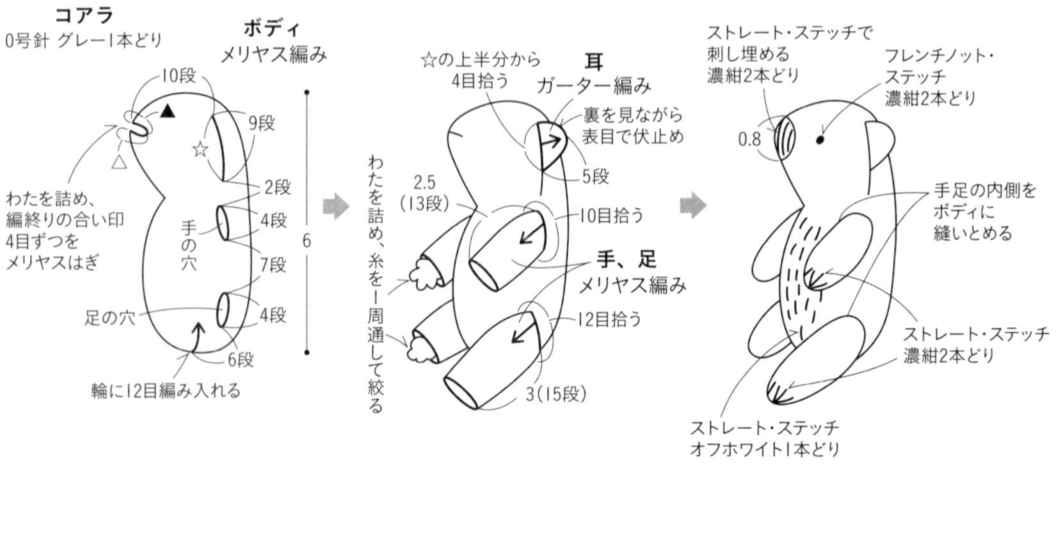

ティーコージー

9号針 2本どり

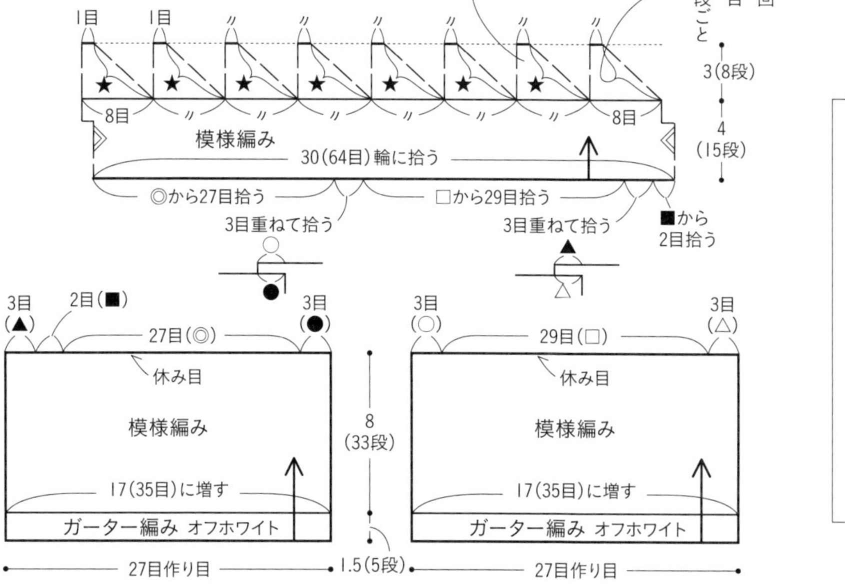

メリヤス編み
オフホワイト
1目
1目
1－1－6
2－1－1
段 目 回
減(★)
段ごと
3(8段)
8目
8目
4(15段)
模様編み
30(64目)輪に拾う
◎から27目拾う
□から29目拾う
3目重ねて拾う
3目重ねて拾う
■から2目拾う
3目(▲)
2目(■)
27目(◎)
3目(●)
休み目
模様編み
17(35目)に増す
ガーター編み オフホワイト
27目作り目
8(33段)
1.5(5段)
3目(○)
29目(□)
3目(△)
休み目
模様編み
17(35目)に増す
ガーター編み オフホワイト
27目作り目

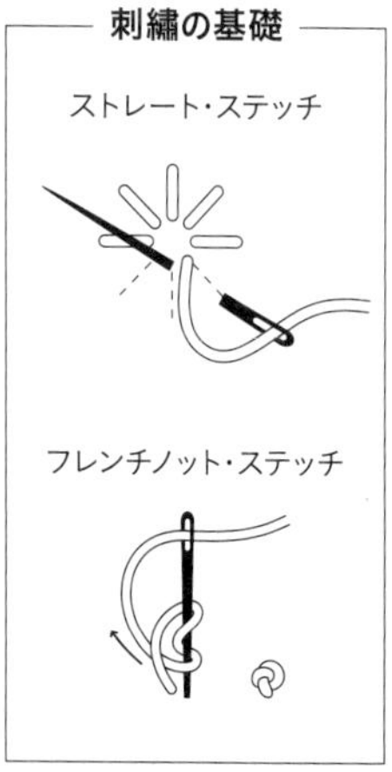

刺繍の基礎
ストレート・ステッチ
フレンチノット・ステッチ

ティーコージーの編み方

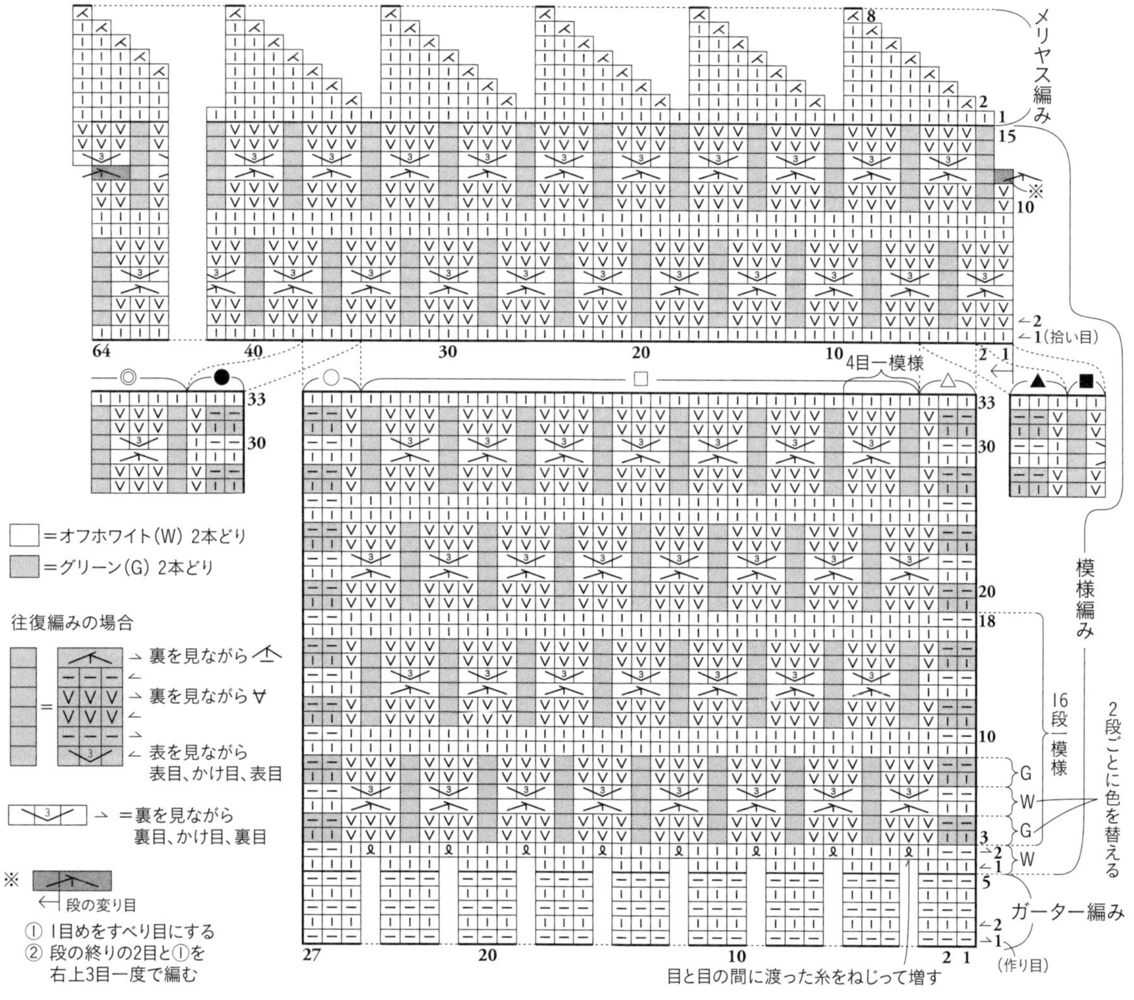

メリヤス編み
模様編み
ガーター編み
64 40 30 20 10 2 1
2
1(拾い目)
4目一模様
16段一模様
2段ごとに色を替える
G
W
G
W
27 20 10 2 1
(作り目)
目と目の間に渡った糸をねじって増す
□ ＝オフホワイト(W) 2本どり
■ ＝グリーン(G) 2本どり
往復編みの場合
裏を見ながら
裏を見ながら
表を見ながら 表目、かけ目、表目
＝裏を見ながら 裏目、かけ目、裏目
※
段の変り目
① 1目めをすべり目にする
② 段の終りの2目と①を 右上3目一度で編む

→ 42 ページ

白いガンジーセーター

[糸]　フランジパーニ 5プライガーンジーウール
オフホワイト（Aran・Natural）…470g
[用具]　4号2本、4本棒針　4号輪針（80cm）
[ゲージ]　メリヤス編み　24目34段が10cm四方
模様編みA、A'　28目35.5段が10cm四方
[サイズ]　胸回り78cm、着丈55.5cm、ゆき丈66.5cm
（編み地に伸縮性があります。適応サイズはレディースのM）
[編み方]　糸は1本どりで編みます。

前後身頃は、チャネルアイランドの作り目（p.130参照）でそれぞれ100目ずつ作り目し、ガーター編みを編みます。前身頃の両端2目を後ろ身頃の2目に重ねて212目拾い目し、メリヤス編みを輪に編みます。続けて、身頃を模様編みA、A'、脇のまちをメリヤス編みで編み、両脇のまちと後ろ身頃の目を休めます。前ヨークは、続けて、往復に模様編みA、A'とガーター編みで編みます。後ろヨークは、拾い目して模様編みA、A'で往復に編みます。肩を引抜きはぎにします。袖は、脇のまちと袖ぐりから輪に目を拾い、減らしながらメリヤス編みと2目ゴム編みで編みます。衿ぐりは、2目ゴム編みを輪に編みます。

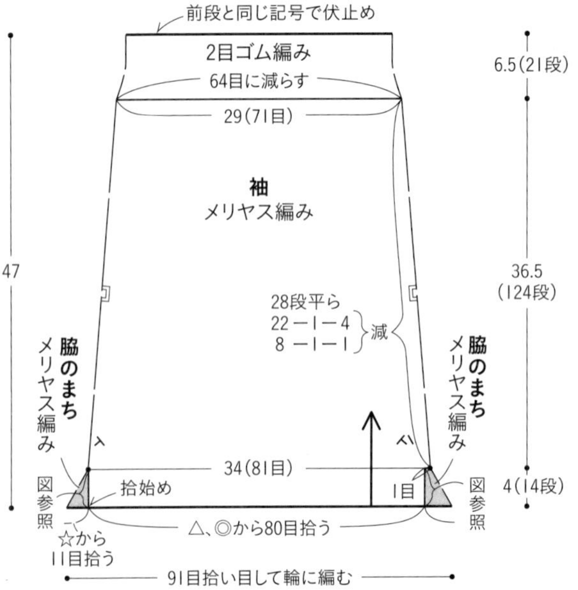

ガーター編みの記号図

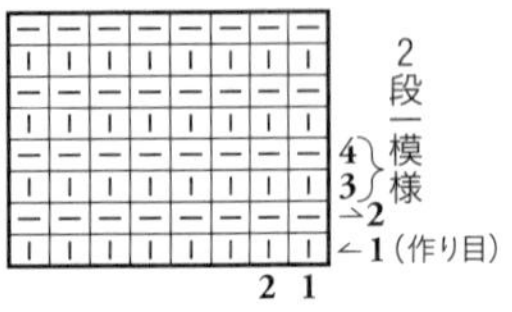

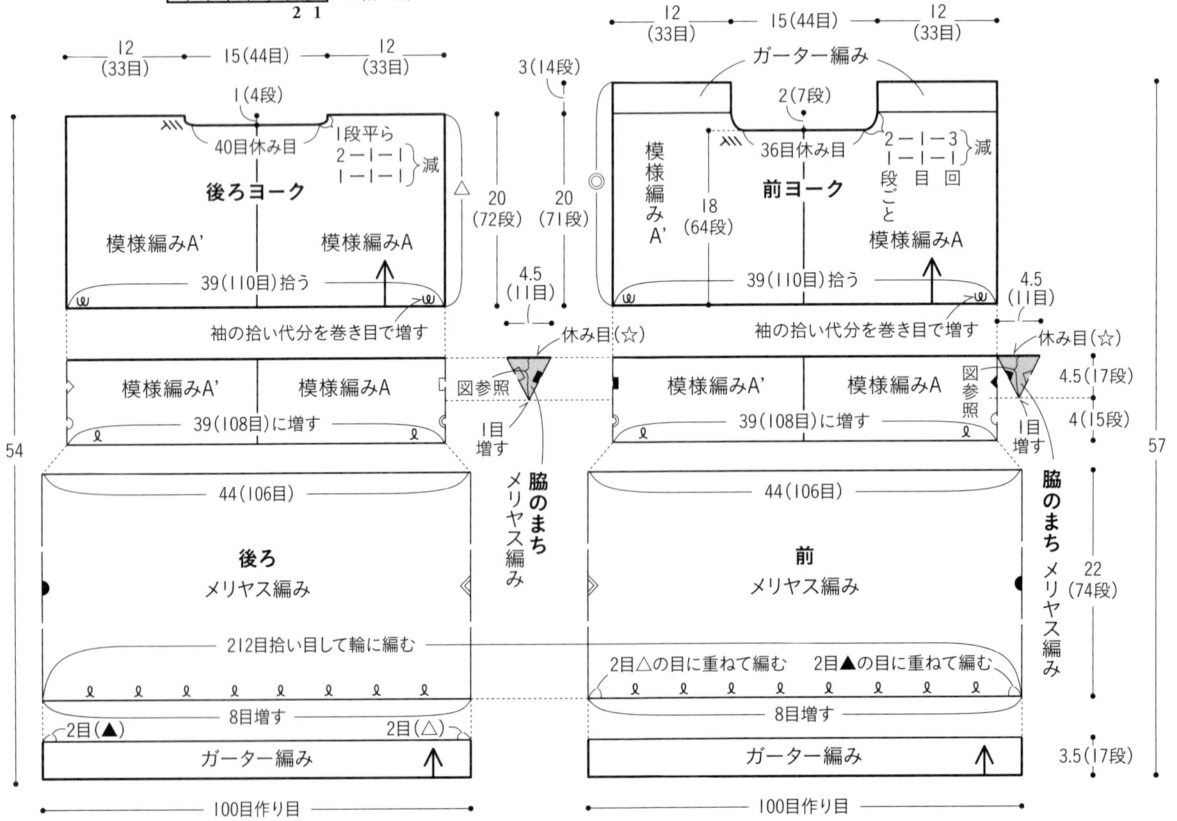

模様編みA、A'と脇のまちの編み方

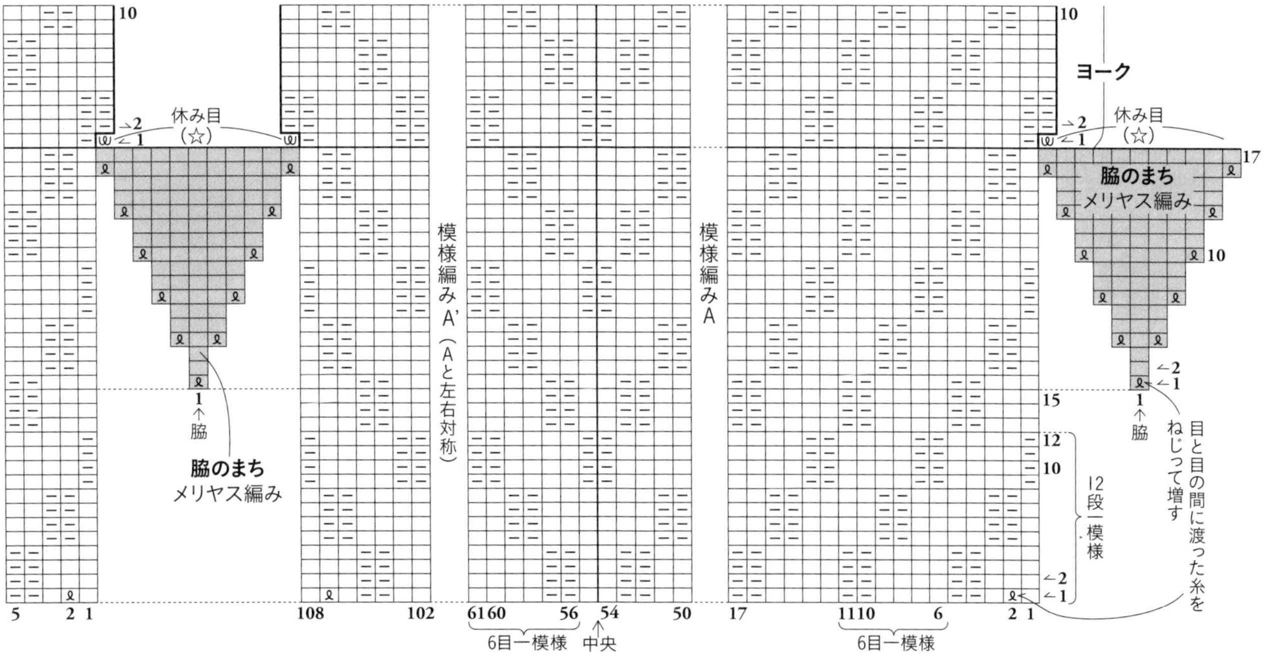

□＝|

前衿ぐりの編み方

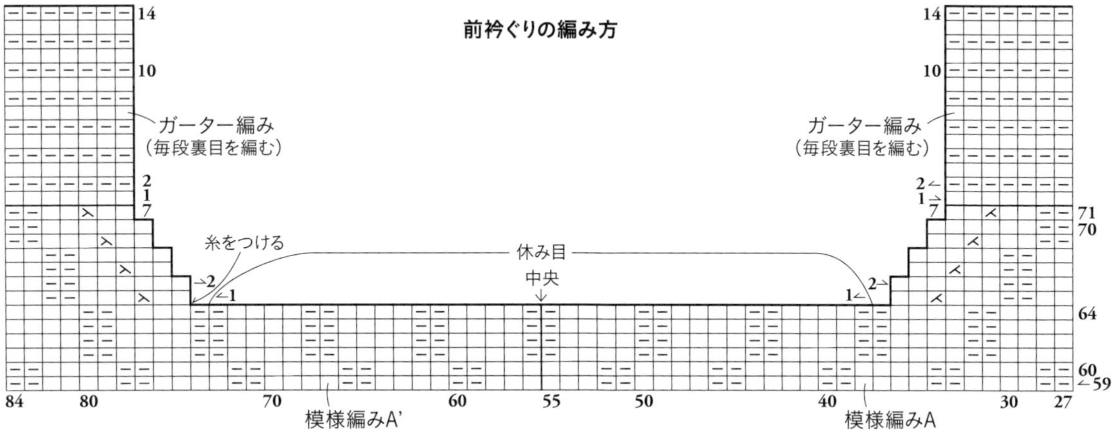

右袖の編み方

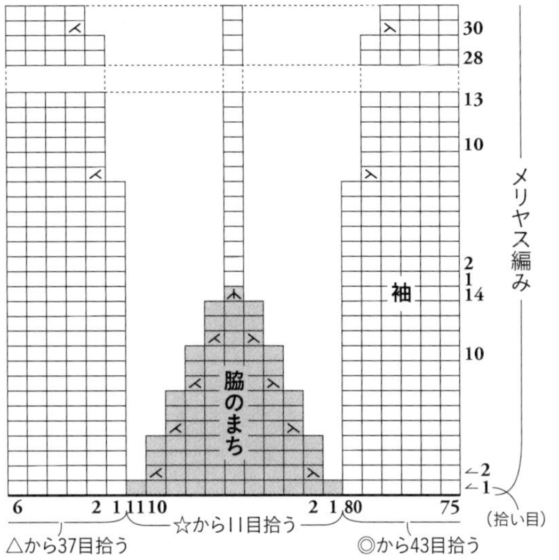

後ろ衿ぐりの編み方

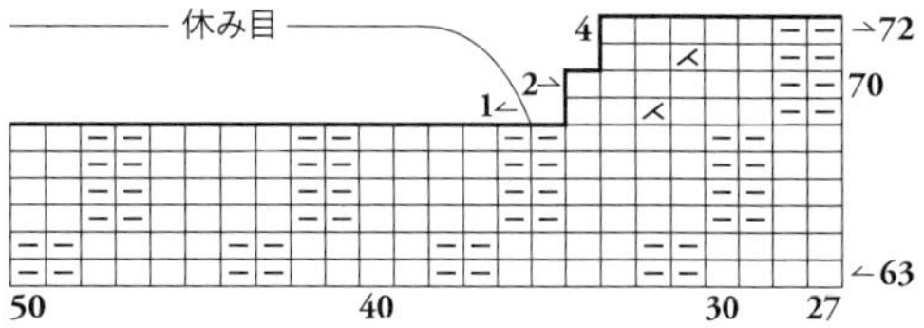

衿ぐり

2目ゴム編み

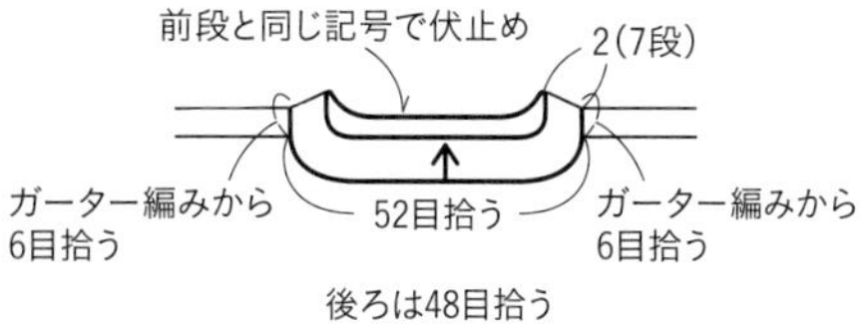

→ 44 ページ

V ネックのフェアアイルセーター

[糸]　ジェイミソンズ シェットランドスピンドリフト
濃紺 (730/Dark Navy)…160g
ライトグレーと薄黄色の混り糸 (140/Rye)…55 g
グレー (103/ Sholmit)…50g
茶褐色 (198/Peat)…20g
黄土色 (429/Old Gold)…20g
群青色 (710/Gentian)…20g
クリーム色 (350/Lemon)…15g
グリーン (792/Emerald)…10g
[用具]　2号、4号輪針 (80cm)　2号、4号4本棒針
[ゲージ]　メリヤス編みの編込み模様A、A'
29目30段が10cm四方
[サイズ]　胸回り96cm、着丈61.5cm、ゆき丈69cm
[編み方]　糸は1本どりで、指定の配色で編みます。

前後身頃は、針にかかった目から編み出す方法で248目作り目して輪にし、2号輪針で2目ゴム編みを編みます。4号輪針に替えて280目に増し、メリヤス編みの編込み模様Aで99段編みます。袖ぐりと衿ぐりの目を休め、スティークを巻き目の作り目(p.134参照)にして輪にし、衿ぐりを減らしながら編みます。衿ぐりのスティークは6目ずつに分けて伏せ目にし、続けて肩を中表にして引抜きはぎにします。脇のスティークを切り開き、袖ぐりから120目輪に拾い目して、袖をメリヤス編みの編込み模様A'、2目ゴム編みで編みます。衿ぐりのスティークを切り開き、衿ぐりから輪に目を拾い、2目ゴム編みで編みます。スティークを始末します。

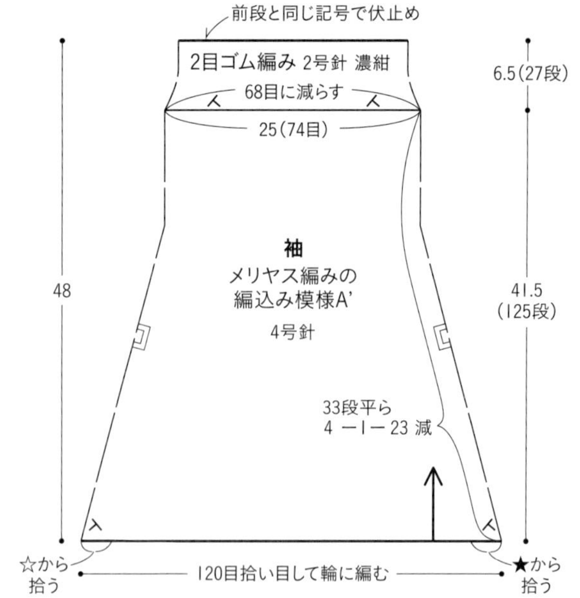

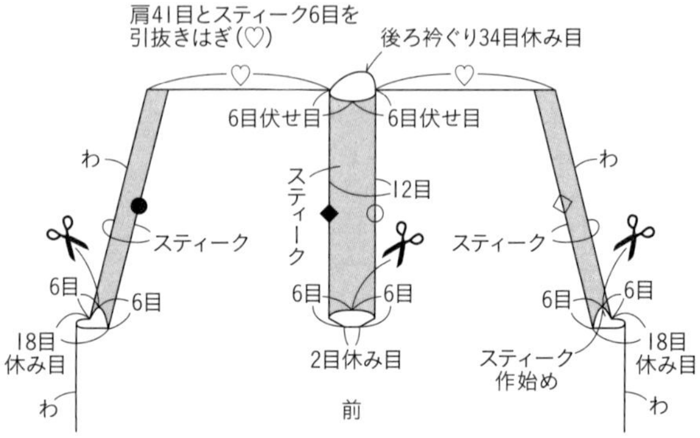

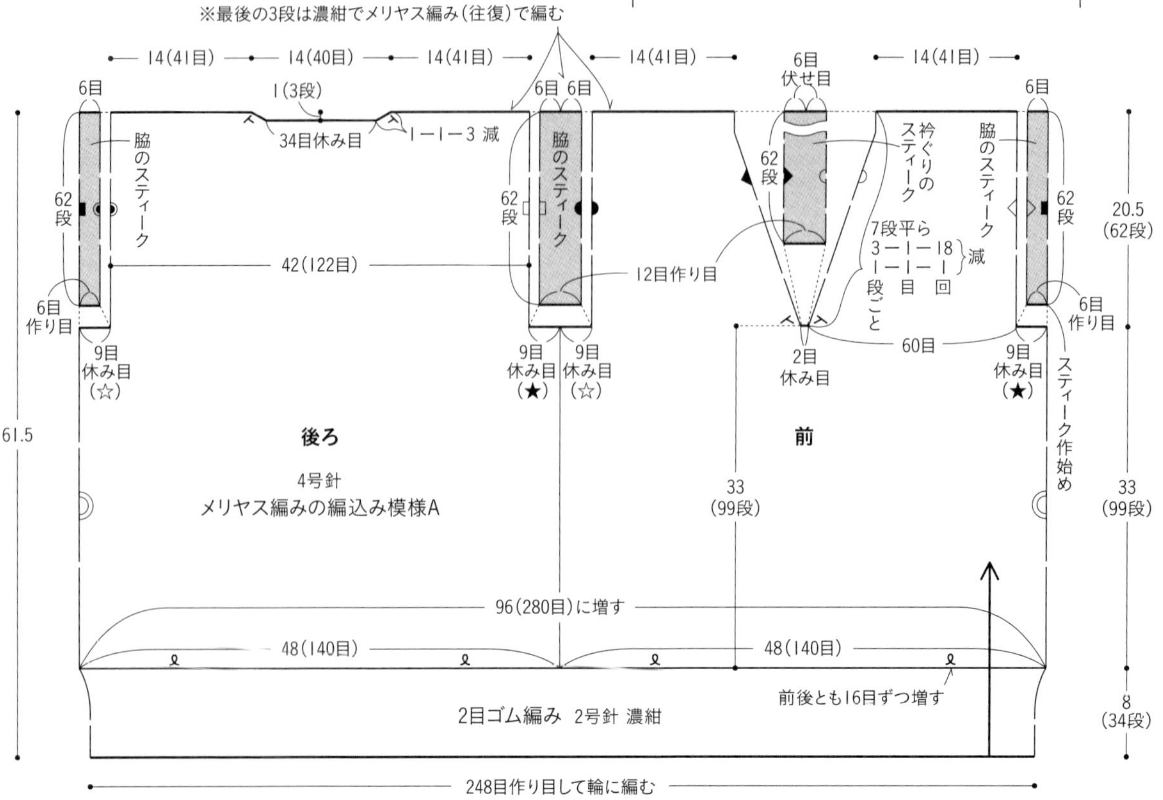

スティークの配色

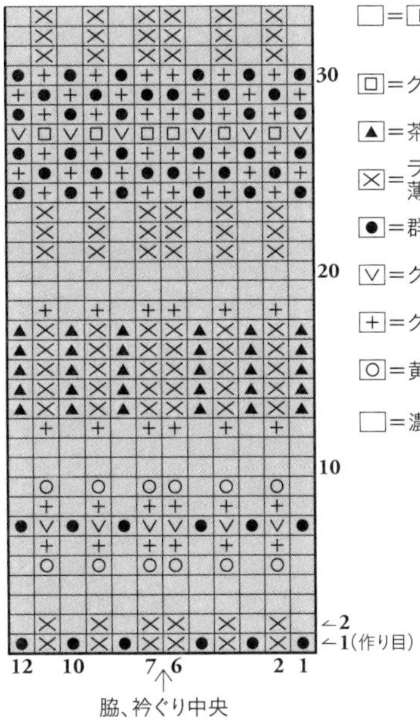

- □＝｜
- ⊡＝グリーン
- ▲＝茶褐色
- ✕＝ライトグレーと薄黄色の混り糸
- ●＝群青色
- V＝クリーム色
- ＋＝グレー
- ○＝黄土色
- □＝濃紺

※上図の要領で2色交互に(6、7目めを除く)配色する

編込み図案A

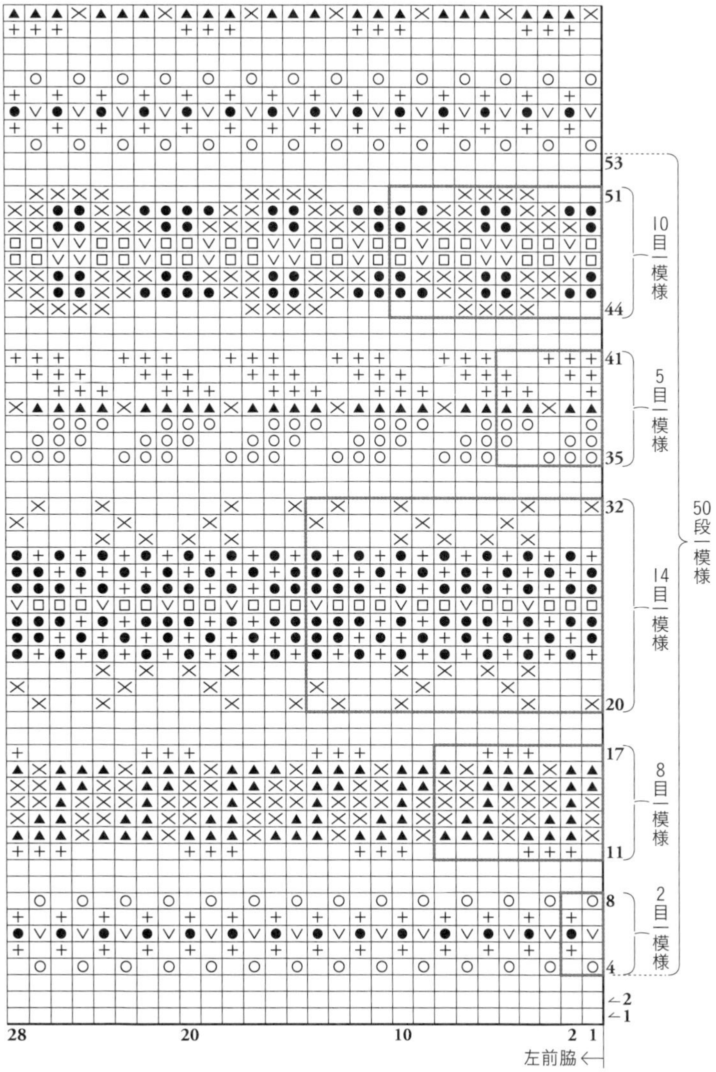

袖の減し方と編込み図案A'

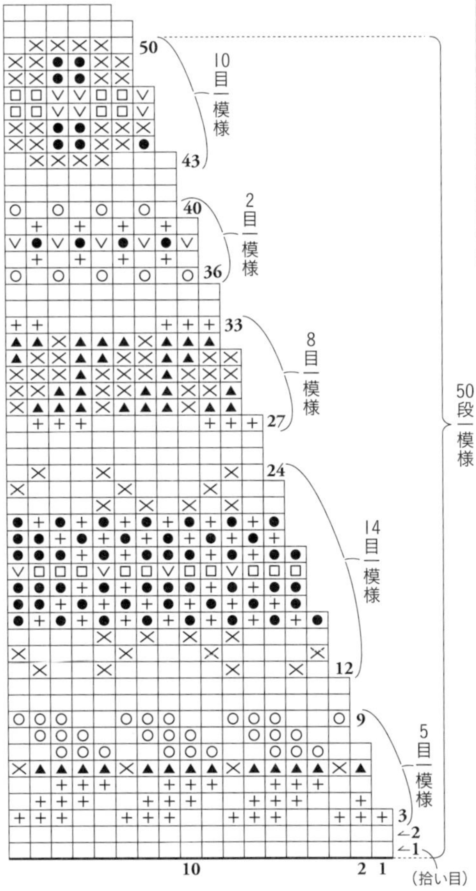

※減し目の記号(⋌)は省略しているが、指定の位置で減らす

衿ぐり
2目ゴム編み
2号針　濃紺

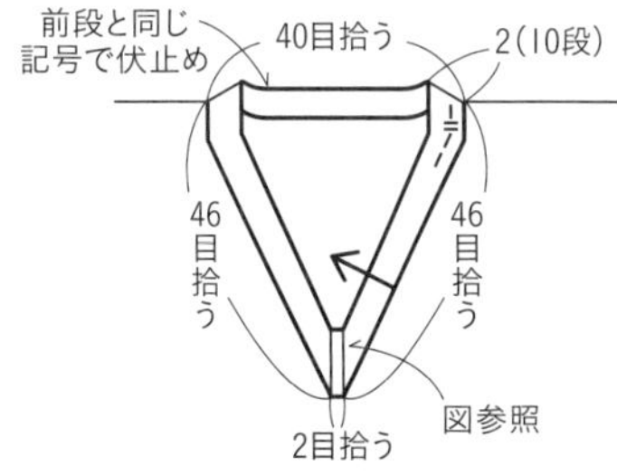

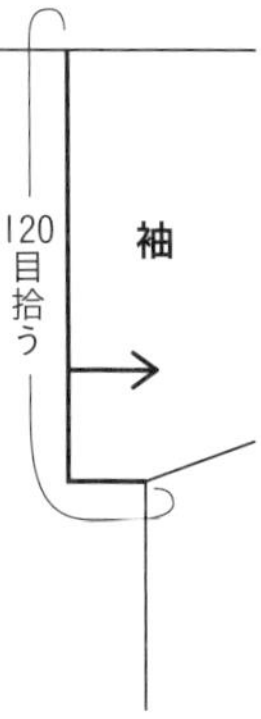

衿ぐりの減し方

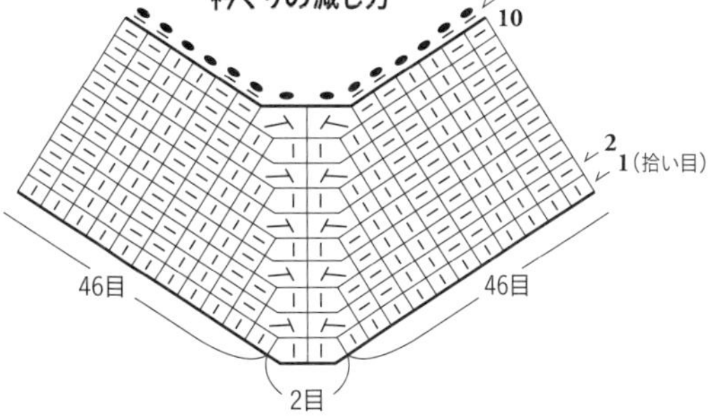

→ 46 ページ

クリケットセーター

[糸]　パピー シェットランド
紺（20）…520g
グリーン（14）…30g
黄色（39）…30g
[用具]　5号、7号2本棒針　5号4本棒針
[ゲージ]　模様編み　27目29段が10㎝四方
[サイズ]　胸回り90㎝、着丈67㎝、ゆき丈78㎝
(編み地に伸縮性があります。適応サイズはメンズのM)
[編み方]　糸は1本どりで、指定以外は紺で編みます。

前後身頃、袖は、針にかかった目から編み出す方法で作り目し、5号針で2目ゴム編みとメリヤス編みを編みます。7号針に替えて増し、模様編みを増減しながら編みますが、前は、衿あきから左右に分けて左前、右前の順に編みます。身頃と袖をスチームアイロンで広げてから、ラグラン線を目と段のはぎとすくいとじで合わせます。5号針で衿ぐりから輪に目を拾い、メリヤス編みの縞模様で編んで伏止めをし、裏側に折ってまつりつけます。脇、袖下をすくいとじにします。

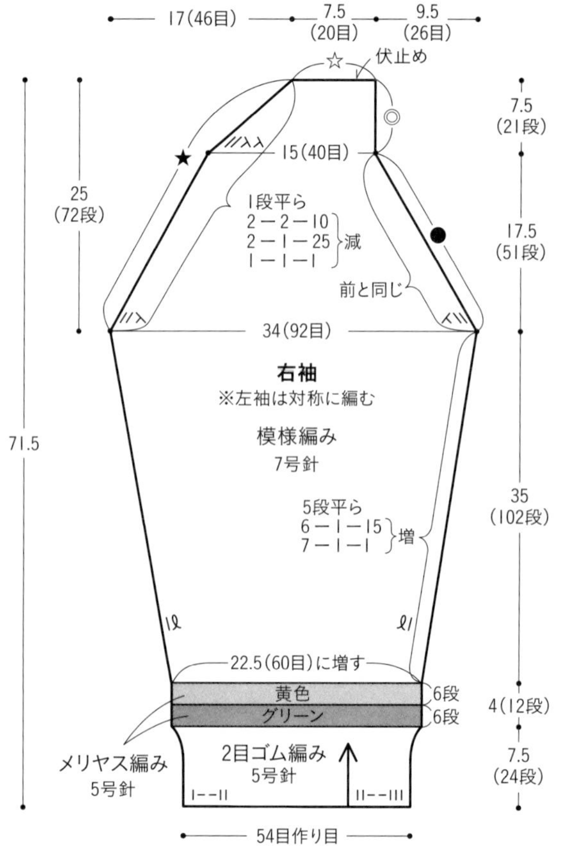

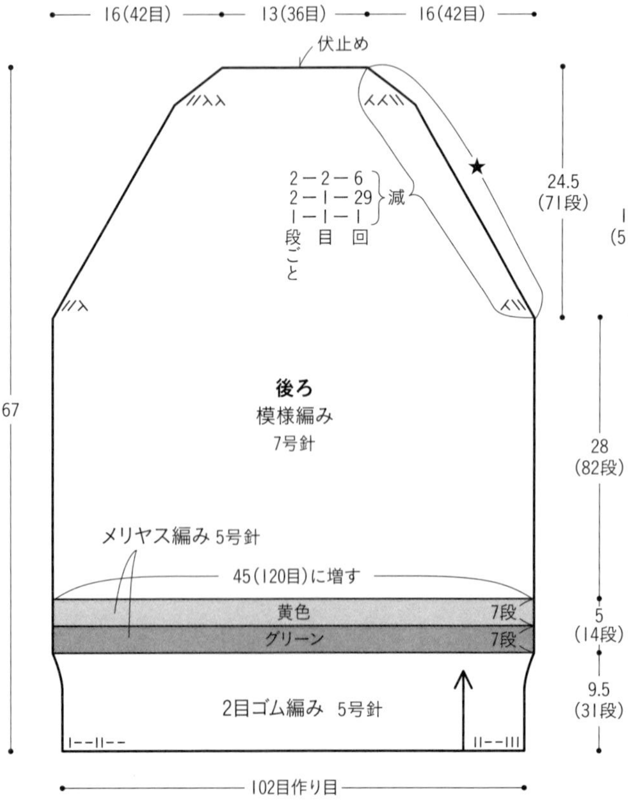

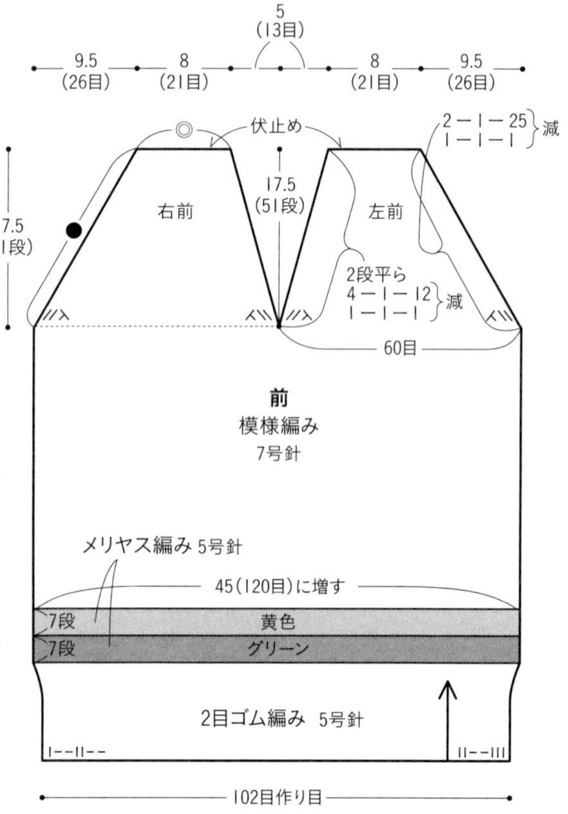

前の減し方

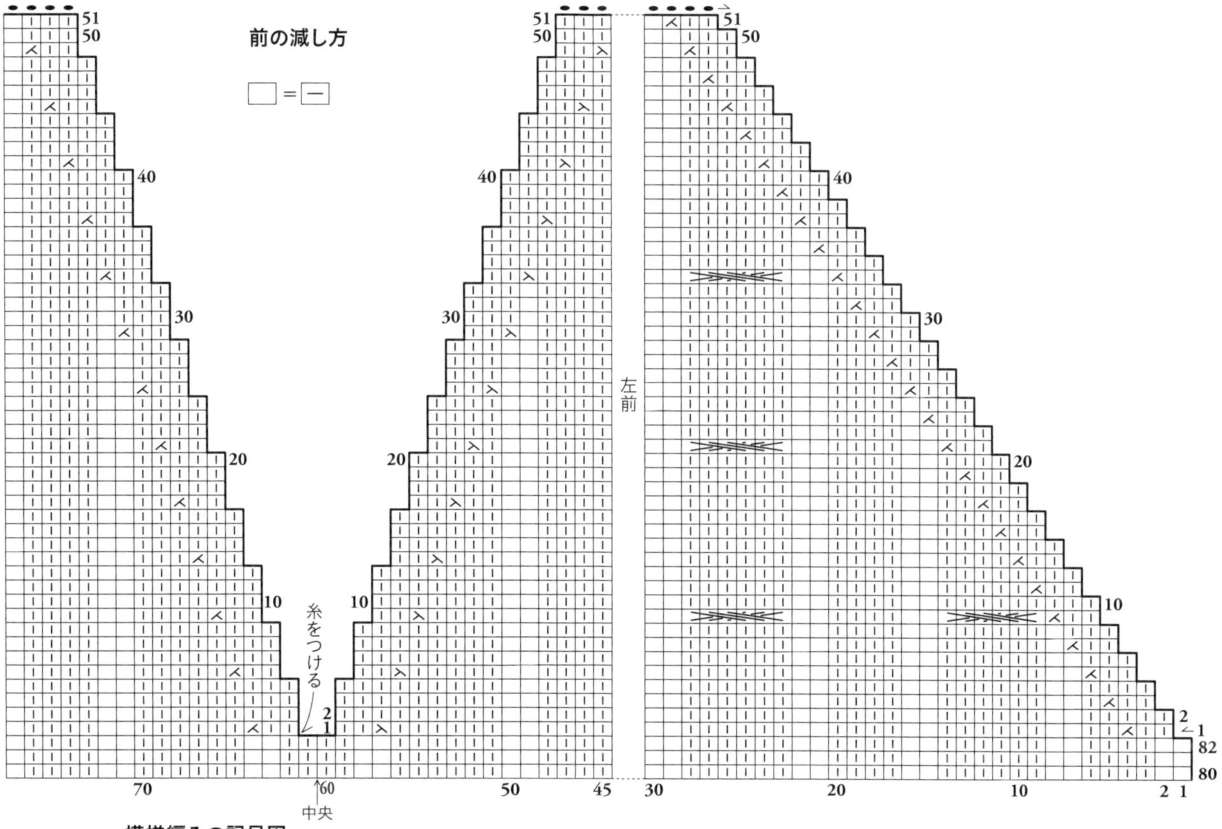

模様編みの記号図

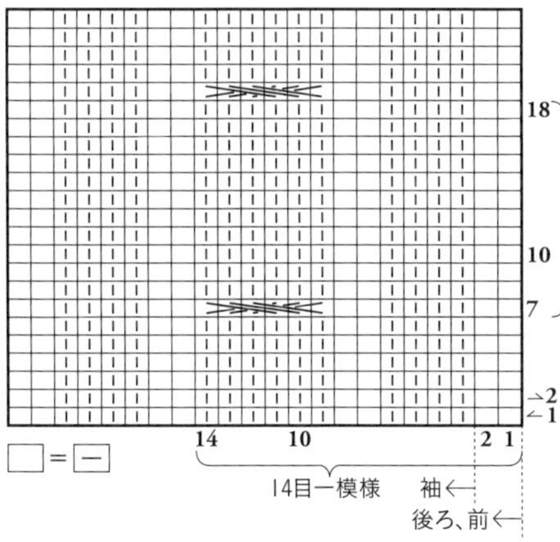

右袖の減し方

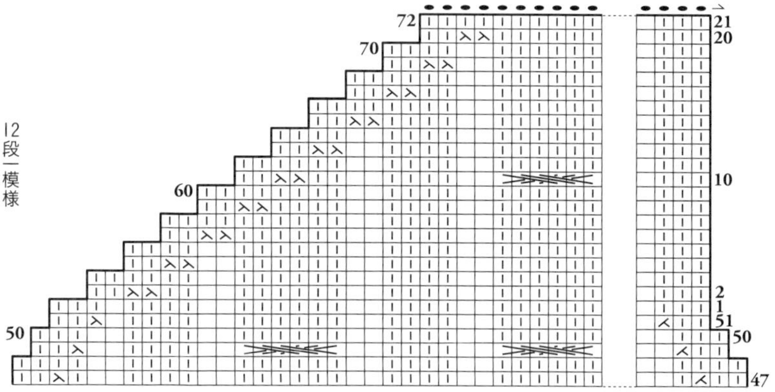

衿ぐり

メリヤス編みの縞模様

5号針

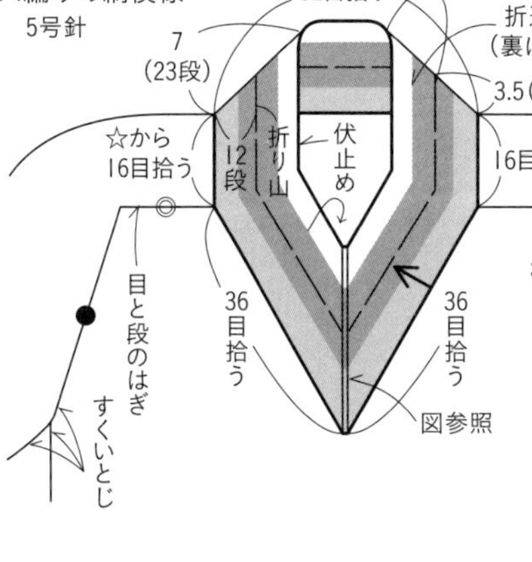

衿ぐりの拾い目の針の入れ方

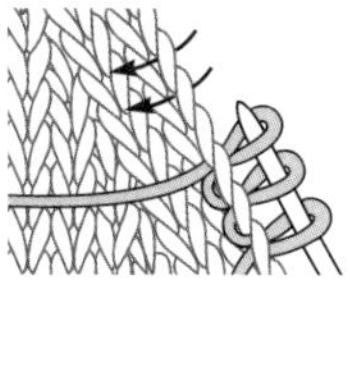

前衿ぐりの減し方

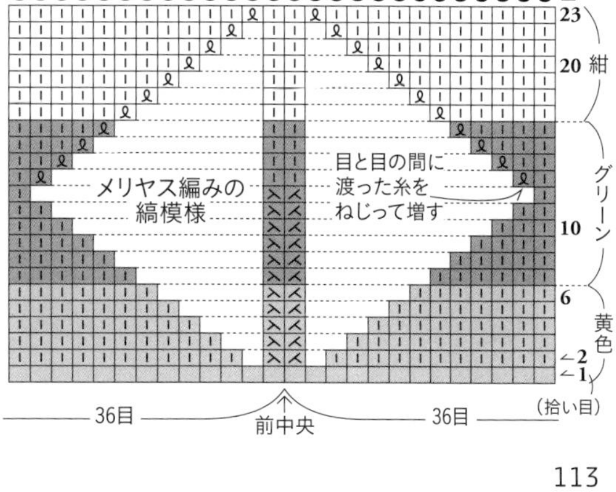

→ 48 ページ

透し模様のセーター

[糸]　ローワン キッドシルクヘイズ
　灰紫（589/Magestic）…135g
[用具]　12号2本棒針　7/0号かぎ針
[ゲージ]　模様編みA　15.5目30段が10cm四方
　模様編みB　15.5目17段が10cm四方
[サイズ]　胸回り102cm、着丈57cm、ゆき丈71cm

[編み方]　糸は2本どりで編みます。
身頃、袖は、それぞれ針にかかった目から編み出す方法で作り目し、ガーター編み、メリヤス編み（2段めで増し目をする）、模様編みA、Bで増減なく編みますが、身頃の肩のガーター編みでは引返し編みを編みます。肩を引抜きはぎにし、袖を目と段のはぎでつけ、脇と袖下をすくいとじにします。7/0号かぎ針で、衿ぐりに細編みを編みます。

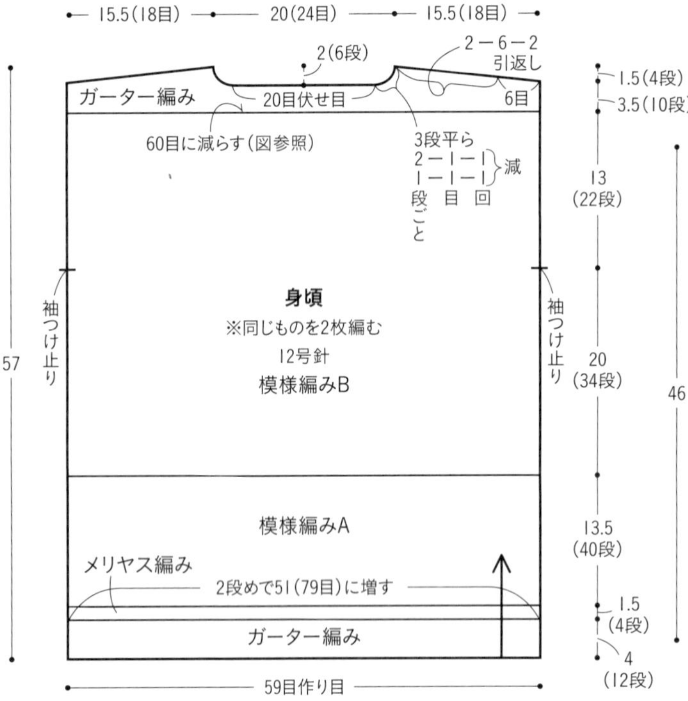

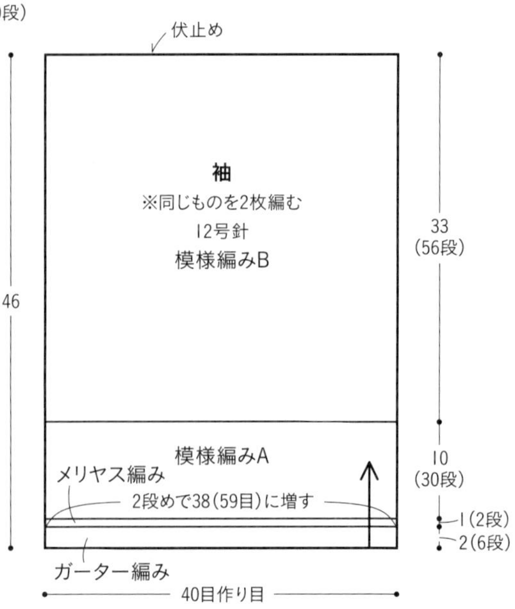

ガーター編みの記号図

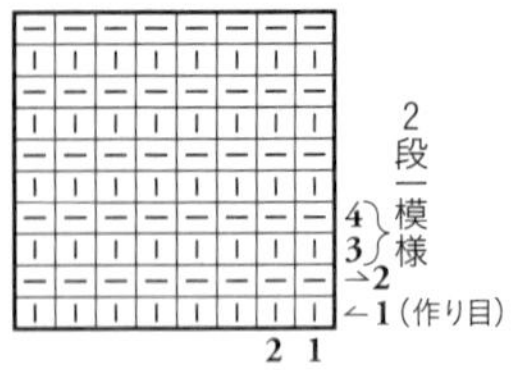

衿ぐり
細編み
7/0号針

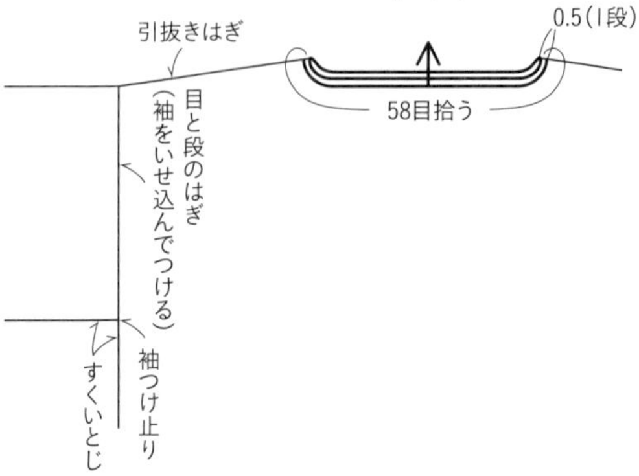

模様編みAの記号図

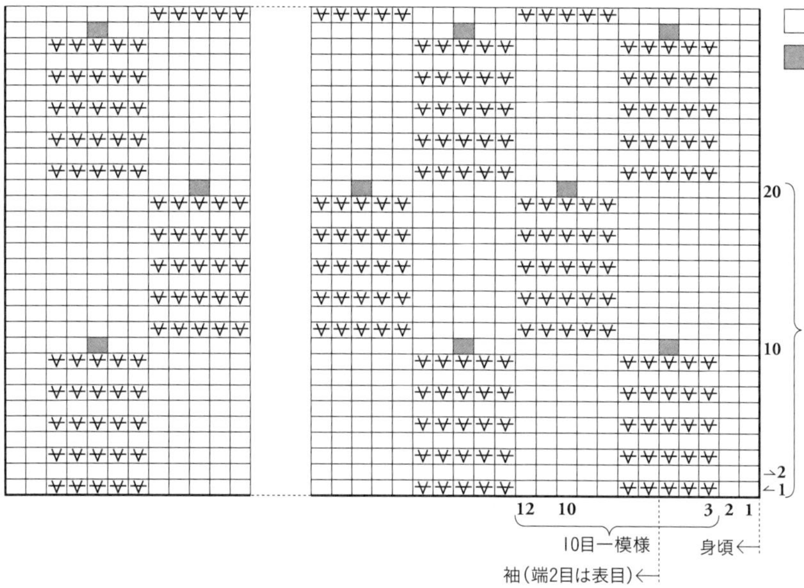

□＝|

▓＝右針で向う側（編み地の表側）に渡っている浮き目の糸5本をすくいながら、左針にかかっている目に針を入れ、裏目で編む

模様編みBの記号図

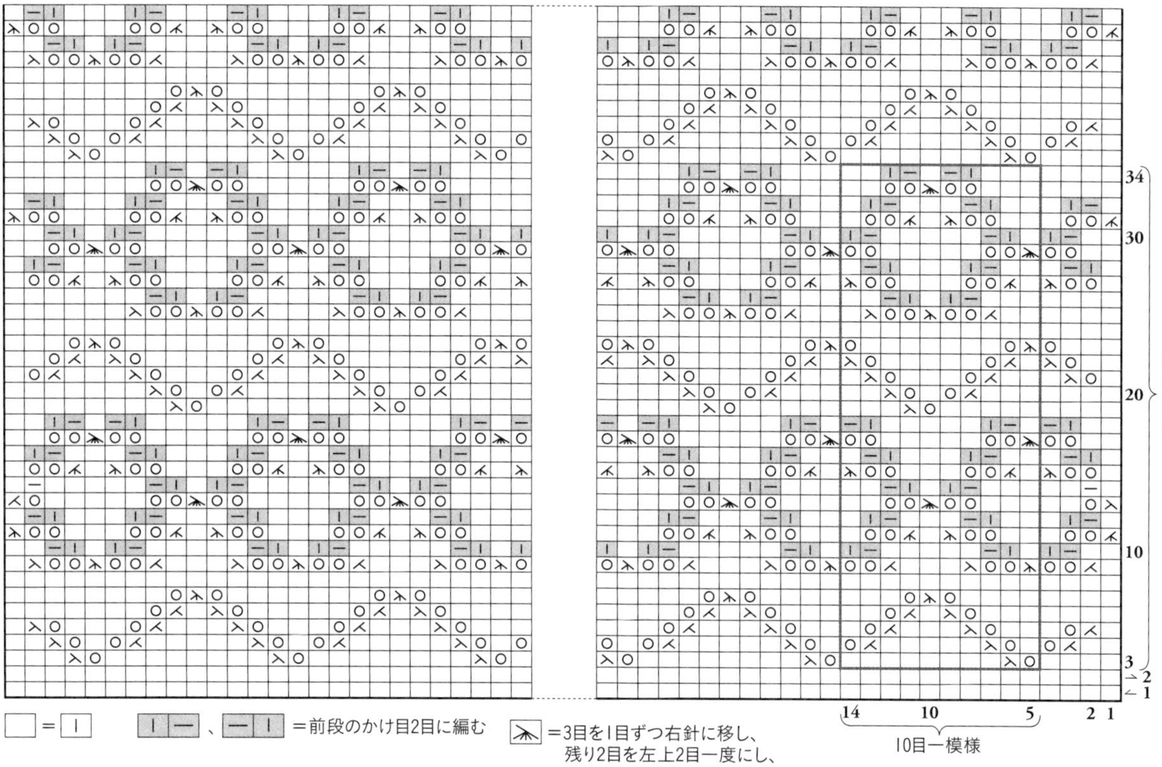

□＝|

|—、—|＝前段のかけ目2目に編む

＝3目を1目ずつ右針に移し、残り2目を左上2目一度にし、その目に右針の3目を針先に近いほうから順にかぶせる

衿ぐりの減し方と引返し方

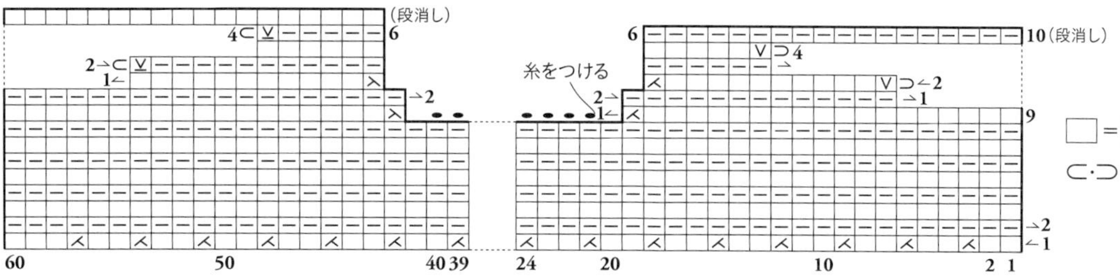

□＝|

⊂・⊃＝かけ目

→51 ページ

ラヴァーズ・ケーブルのミトン

[糸]　パピー シェットランド
　　　オフホワイト(50)…75g
[用具]　5号、7号4本棒針
[ゲージ]　模様編み　31目32段が10cm四方
[サイズ]　てのひら回り18cm、長さ24cm

[編み方]　糸は1本どりで編みます。
針にかかった目から編み出す方法で52目作り目して輪にし、5号針でねじり1目ゴム編みで編みます。7号針に替えて57目に増し、模様編みで編みますが、親指穴（左右で位置を変える）の下側は別糸を通して目を休め、上側の目を作ります（p.135参照）。指先を図のように減らし、残った目を中表にして引抜きはぎにします。別糸を抜いて目を拾い、親指を模様編みで編みます（p.135参照）。

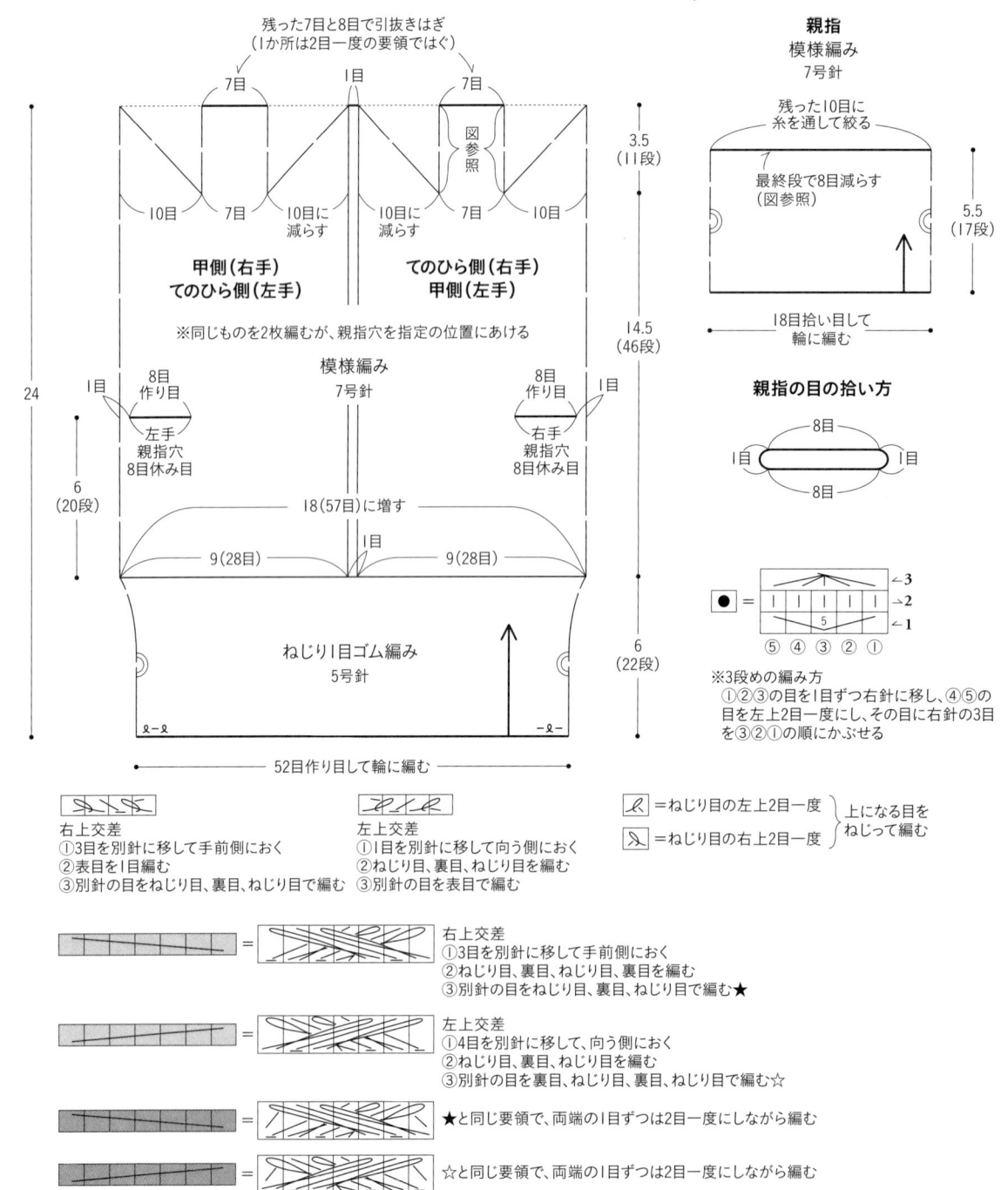

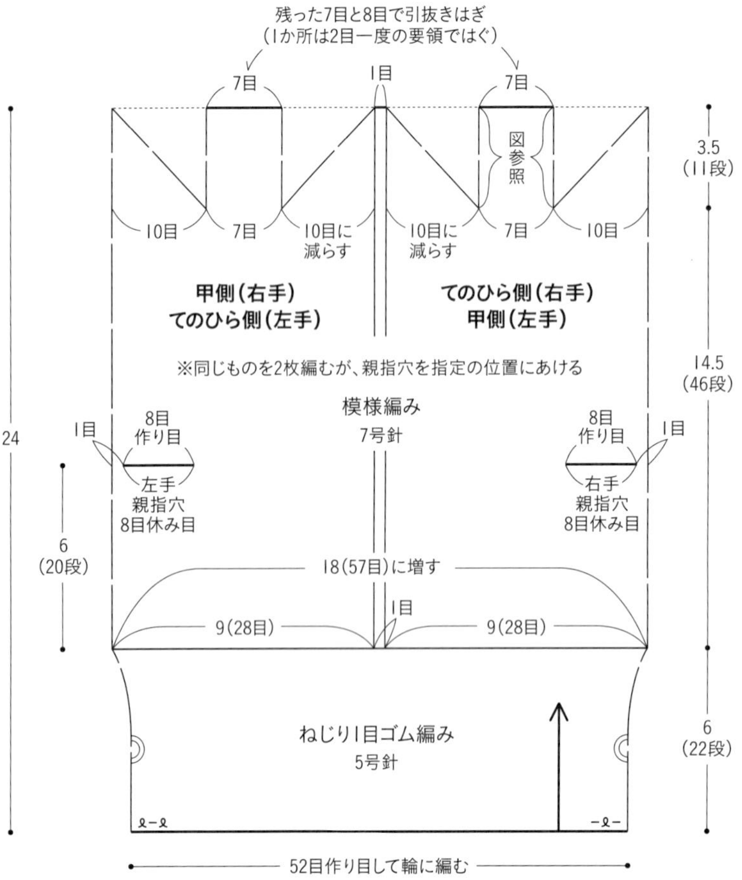

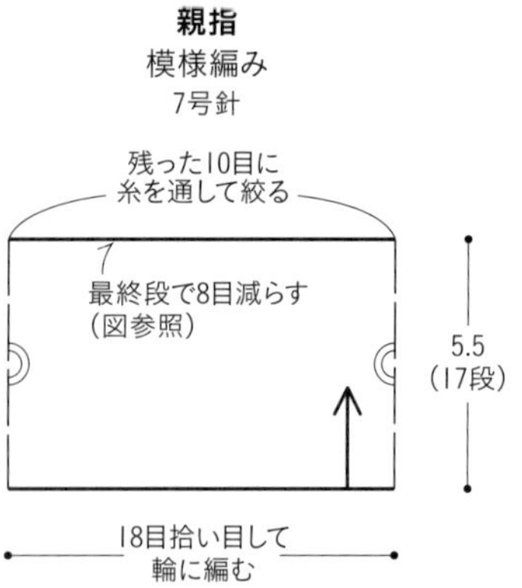

親指の目の拾い方

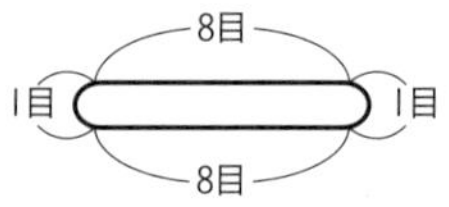

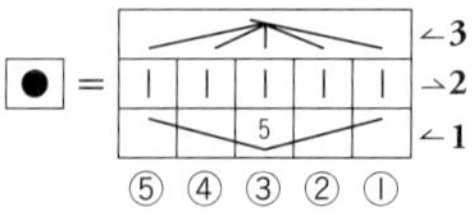

※3段めの編み方
①②③の目を1目ずつ右針に移し、④⑤の目を左上2目一度にし、その目に右針の3目を③②①の順にかぶせる

右上交差
①3目を別針に移して手前側におく
②表目を1目編む
③別針の目をねじり目、裏目、ねじり目で編む

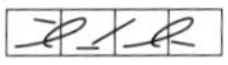

左上交差
①1目を別針に移して向う側におく
②ねじり目、裏目、ねじり目を編む
③別針の目を表目で編む

 ＝ねじり目の左上2目一度
 ＝ねじり目の右上2目一度
（上になる目をねじって編む）

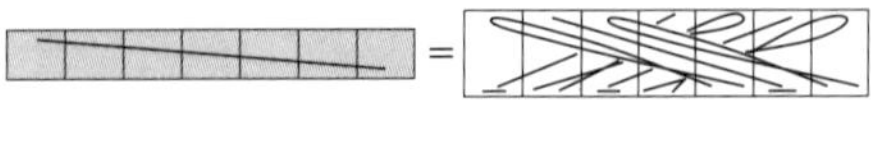

右上交差
①3目を別針に移して手前側におく
②ねじり目、裏目、ねじり目、裏目を編む
③別針の目をねじり目、裏目、ねじり目で編む★

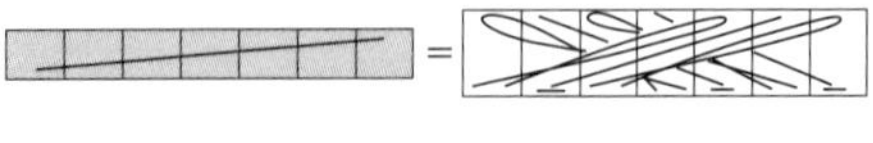

左上交差
①4目を別針に移して、向う側におく
②ねじり目、裏目、ねじり目を編む
③別針の目を裏目、ねじり目、裏目、ねじり目で編む☆

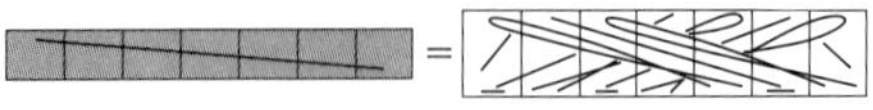

★と同じ要領で、両端の1目ずつは2目一度にしながら編む

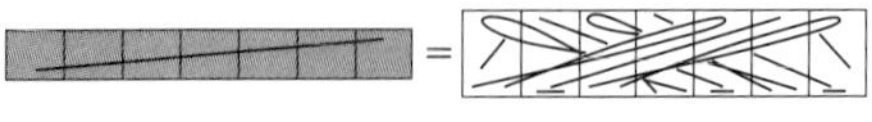

☆と同じ要領で、両端の1目ずつは2目一度にしながら編む

右手甲側
左手てのひら側

右手てのひら側
左手甲側

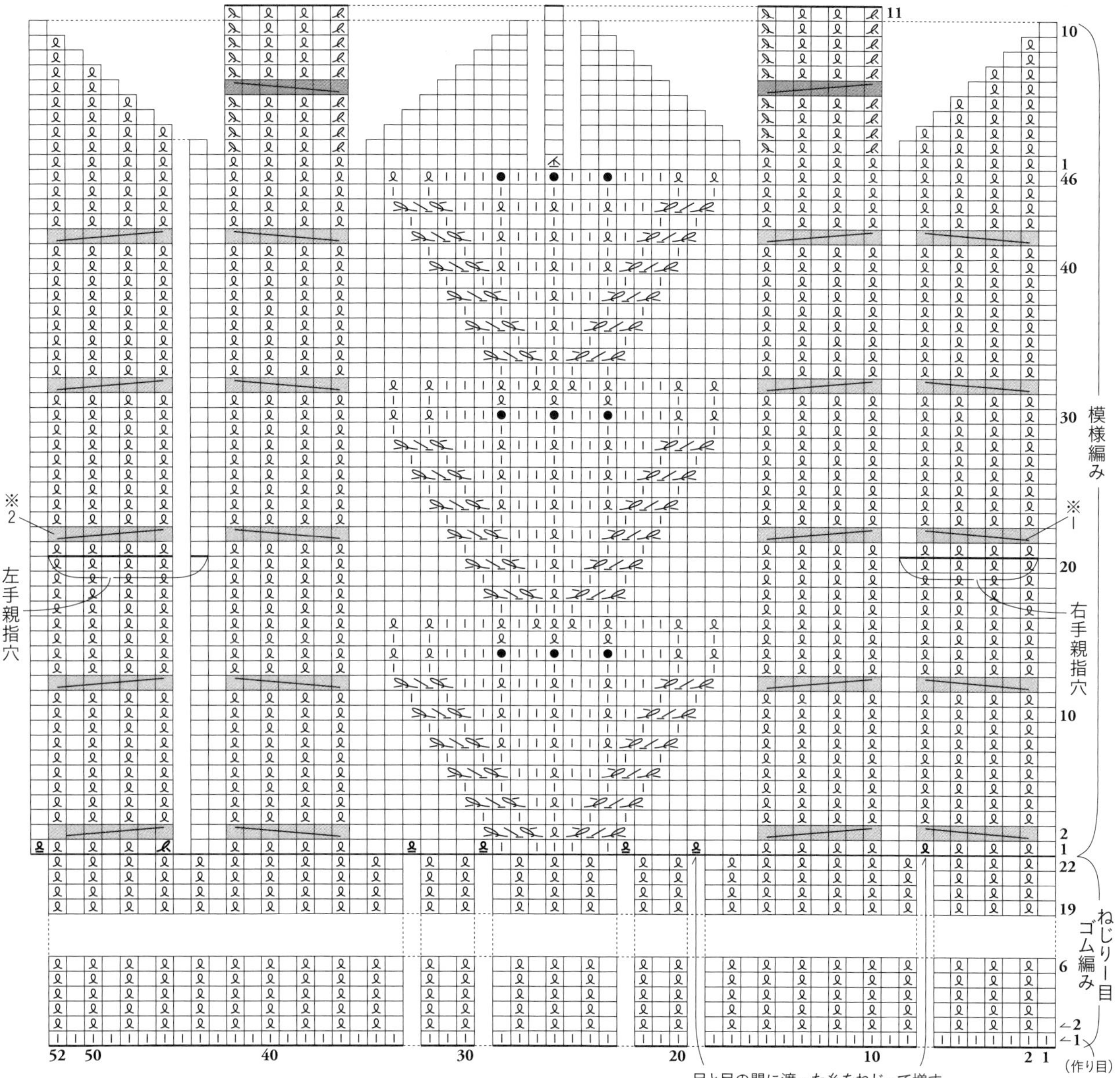

※1＝右手てのひら側は交差はせずに 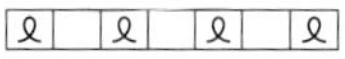 で編む

※2＝左手てのひら側は交差はせずに 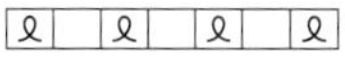 で編む

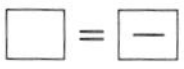

左手親指
模様編み

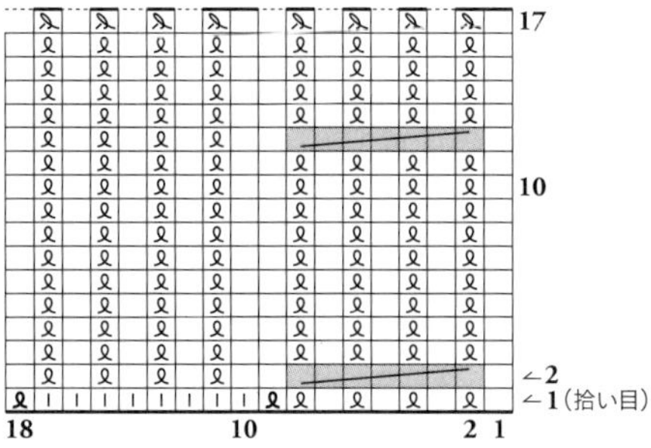

右手親指
模様編み

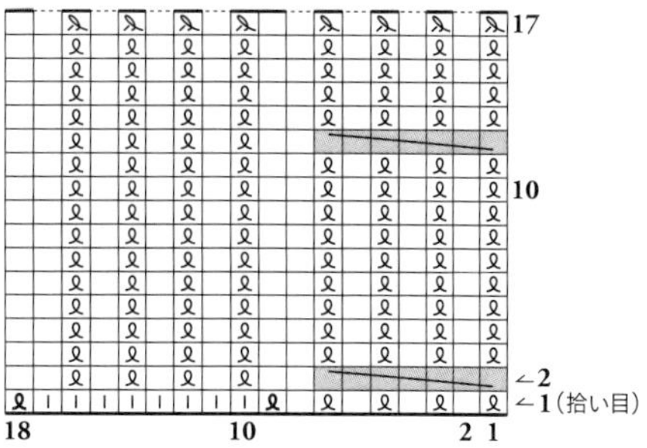

→ 52ページ

海鳥のカーディガン

[糸]　ジェイミソンズ シェットランドスピンドリフト
鉄紺（1340/Cosmos）…290g
サンドベージュ（119/Mooskit・Sholmit）…30g
淡茶（107/Mogit）…30g
茶色（108/Moorit）…20g
オフホワイト（104/Natural white）…15g
[用具]　10号、12号輪針（80cm）※輪針で往復編みにする
[その他]　直径1.6cmのボタン6個
[ゲージ]　メリヤス編み、メリヤス編みの編込み模様
19目21段が10cm四方
[サイズ]　胸回り90cm、着丈59cm、ゆき丈62.5cm

[編み方]　糸は2本どりで、指定の配色で編みます。
身頃は、針にかかった目から編み出す方法で作り目し、10号針で変りゴム編みを編みます。12号針に替えて166目に増し、メリヤス編みを編み、前身頃は引返し編みを編みます。袖も同様に作り目し、10号針で変りゴム編みを編みます。12号針に替えて46目に増し、メリヤス編みの編込み模様で編みます。身頃と袖の6目をメリヤスはぎにし、袖下をすくいとじにします。ヨークは、身頃と袖から目を拾いますが、前身頃の引返し部分は段消し（p.133参照）をし、メリヤス編みの編込み模様で減らしながら編みます。10号針に替え、衿ぐりに変りゴム編みを編みます。前立ては、同様に作り目し、1目ゴム編みで編み、前端にすくいとじでつけます。右前立てにボタン穴をあけ、ボタンをつけます。

身頃

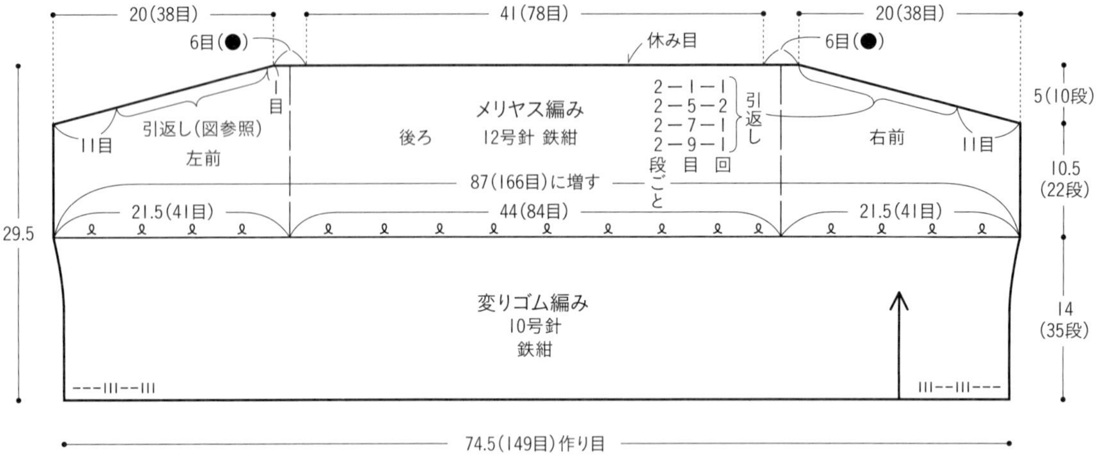

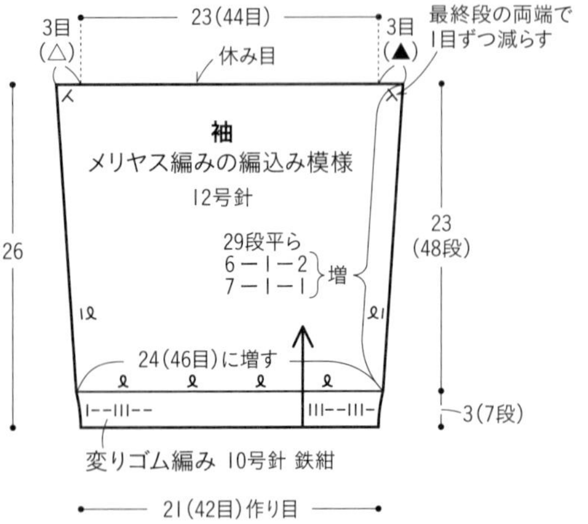

身頃の引返しの編み方

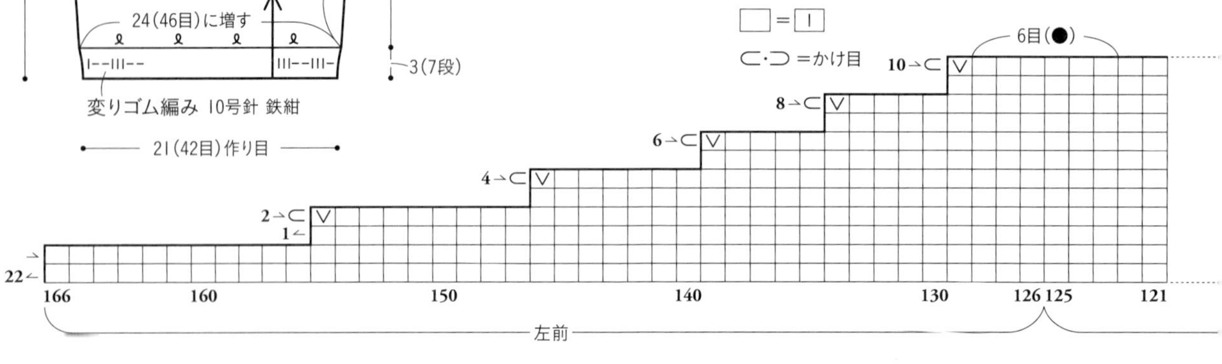

右袖の編み方 ※左袖は対称に模様を入れる

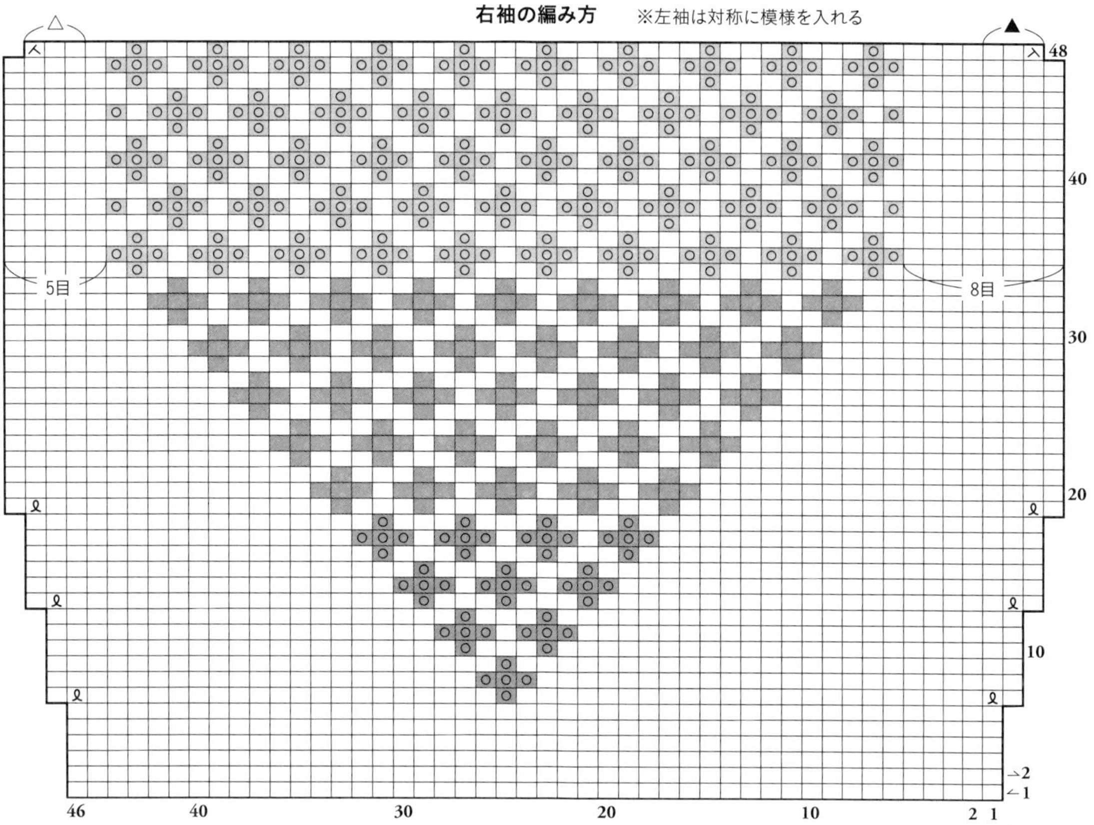

□＝｜

□＝鉄紺

◎＝茶色

■＝淡茶

○＝サンドベージュ

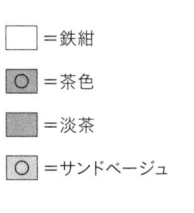

変りゴム編みの記号図

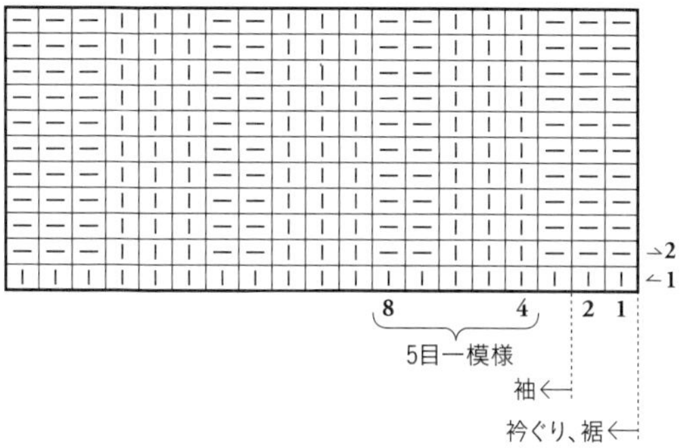

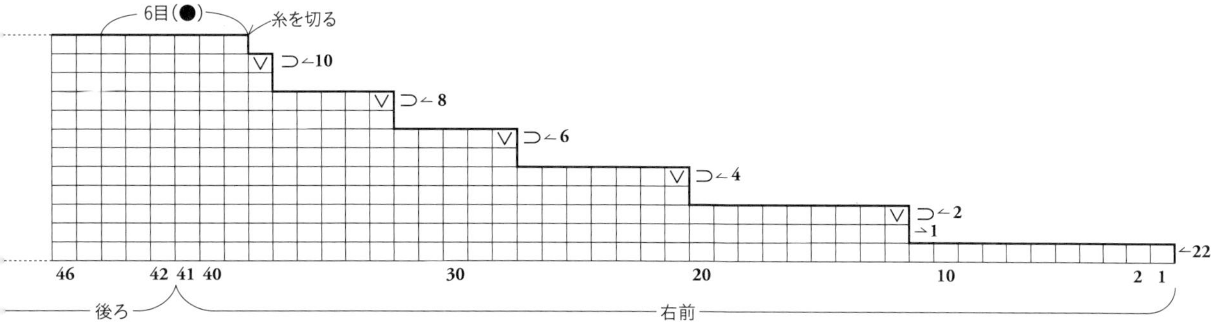

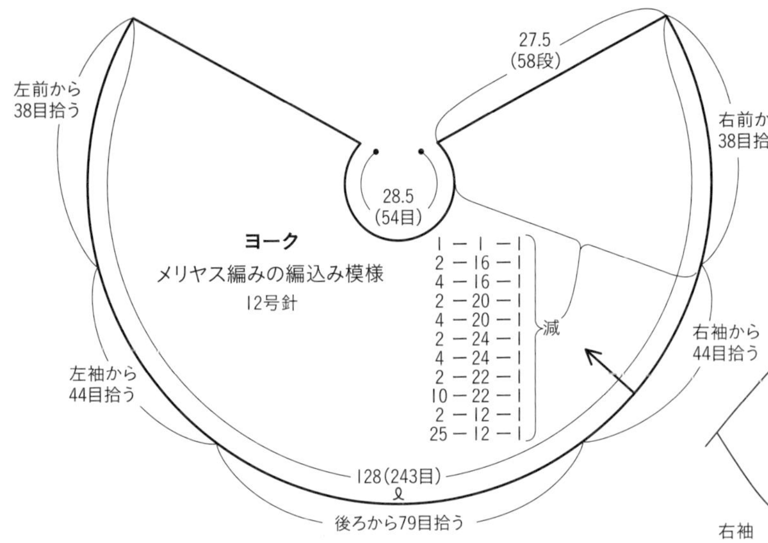

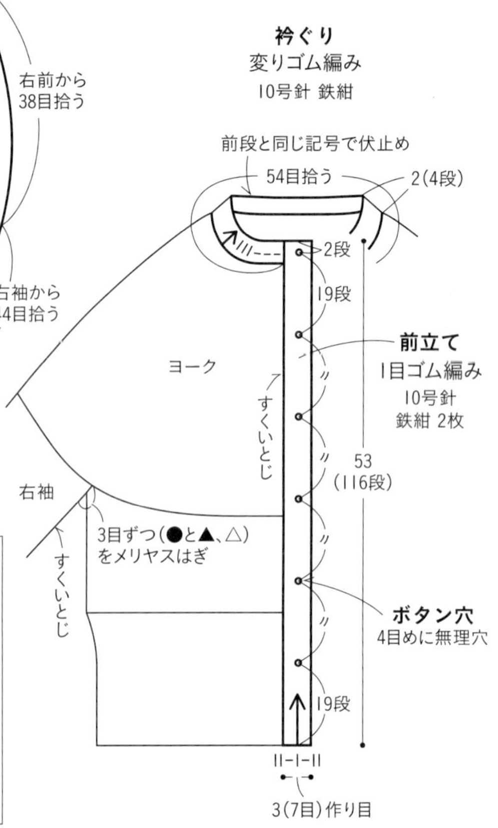

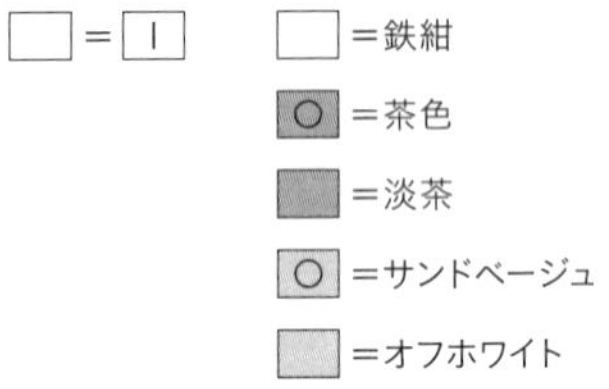

無理穴のあけ方

穴を作る目に針を入れて広げ、回りをボタンホール・ステッチでかがる
※編み地の状態は作品と異なる

ヨークの編み方

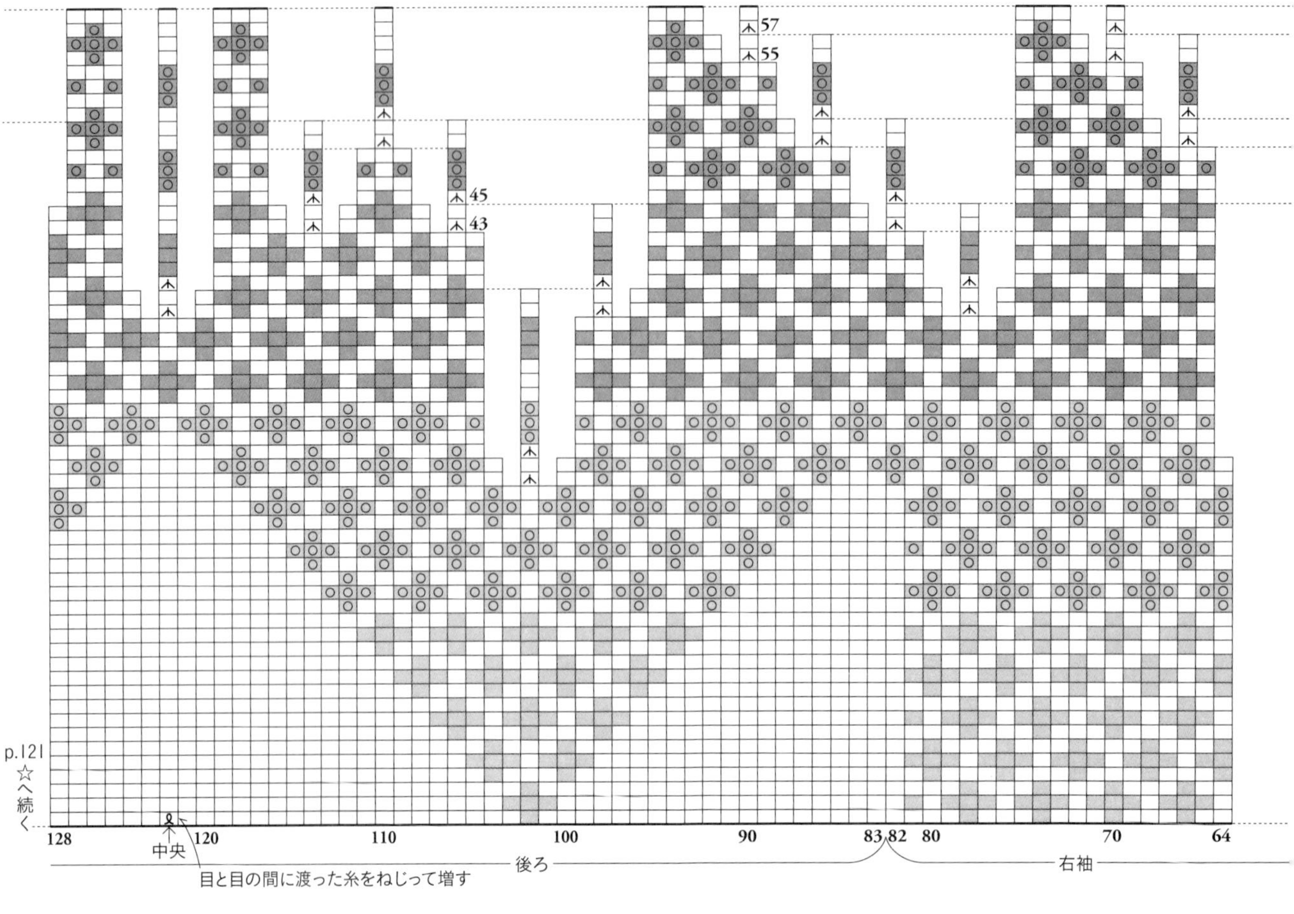

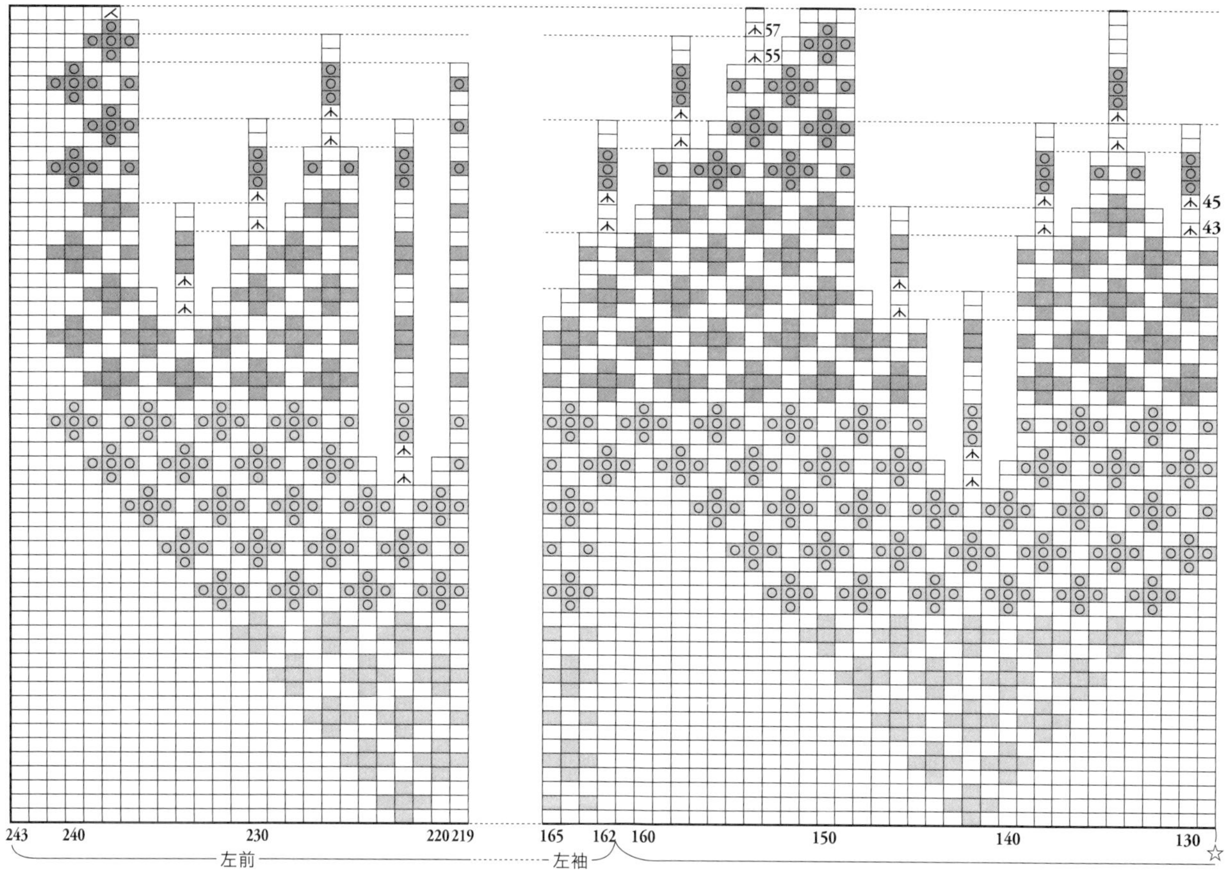
57
55
45
43
243
240
230
220
219
165
162
160
150
140
130
☆
左前
左袖

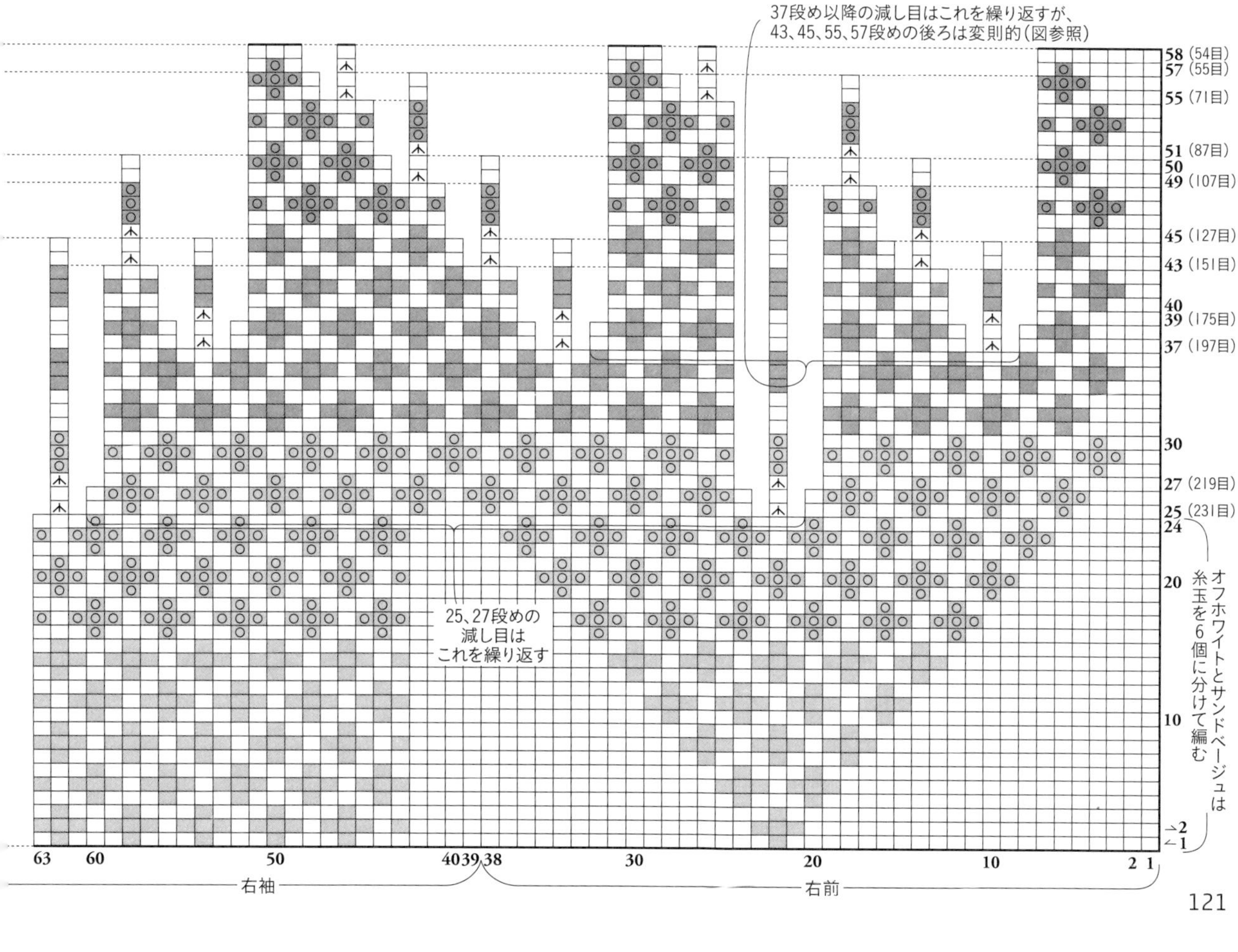
37段め以降の減し目はこれを繰り返すが、43、45、55、57段めの後ろは変則的(図参照)
58 (54目)
57 (55目)
55 (71目)
51 (87目)
50
49 (107目)
45 (127目)
43 (151目)
40
39 (175目)
37 (197目)
30
27 (219目)
25 (231目)
24
20
10
2
1
25、27段めの減し目はこれを繰り返す
オフホワイトとサンドベージュは糸玉を6個に分けて編む
63
60
50
40
39
38
30
20
10
2
1
右袖
右前

→ 50 ページ

コテージのティーコージー

[糸]　パピー シェットランド
　　　オフホワイト（50）…40g
　　　サンドベージュ（7）…25g
[用具]　13号2本棒針
[ゲージ]　模様編み　15.5目が10cm、18段が9cm
[サイズ]　周囲36cm、深さ17cm
[編み方]　糸は2本どりで、指定の配色で編みます。

本体は、針にかかった目から編み出す方法で28目作り目し、変りゴム編み、模様編みで増減なく編み、最終段で14目に減らし、目を休めます。同じものを2枚編み、編終りを引抜きはぎにします。両端はあき口を残してすくいとじにします。煙突を拾い目してガーター編みを編み、編終りは裏を見ながら表目で伏止めにし、二つ折りにしてまつりつけます。

本体
2枚

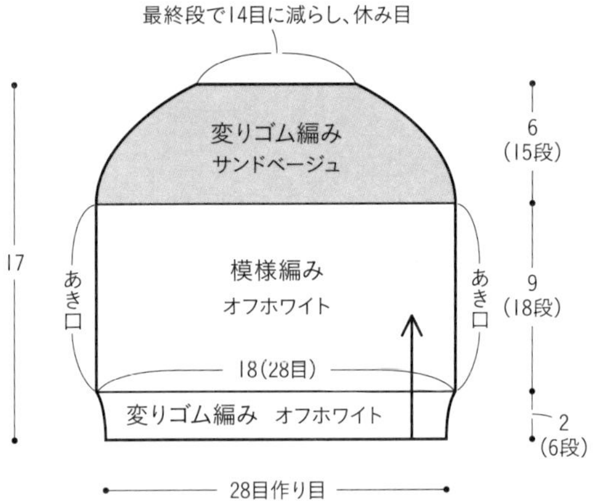

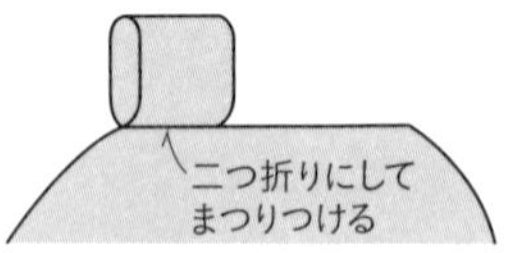

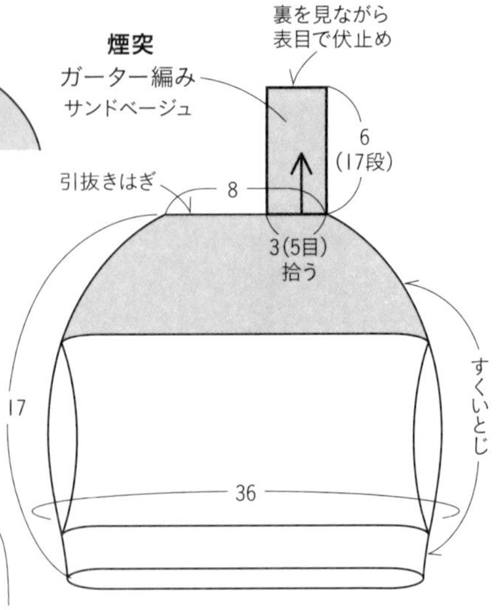

本体の編み方

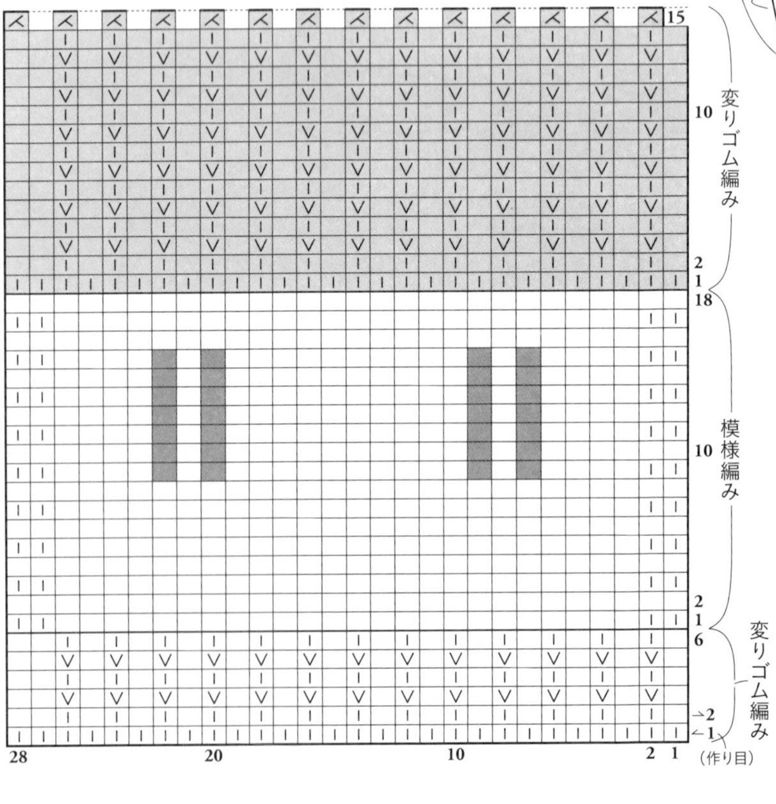

ガーター編みの記号図

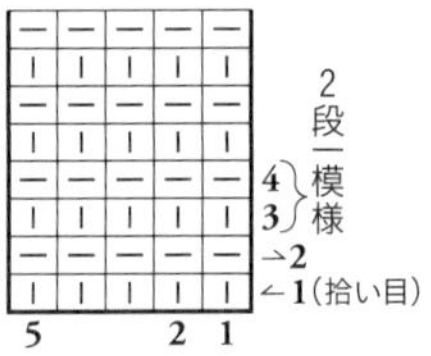

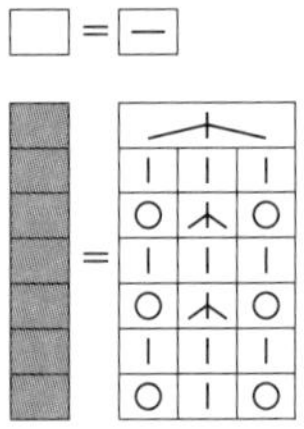

→ 54 ページ

モヘアの四角ショール

[糸]　ローワン キッドシルクヘイズ
淡ベージュ (590/Pearl) …160g
[用具]　7号2本棒針　7号輪針 (80cm)
[ゲージ]　模様編みA　19目24段が10cm四方
[サイズ]　131cm四方

[編み方]　糸は1本どりで編みます。
針にかかった目から編み出す方法で163目作り目し、模様編みAで増減なく205段編み、目を休めます。続けて、4辺から652目拾い目して輪にし、模様編みBで角を増しながら52段編み、目を休めます。縁編みは、針にかかった目から編み出す方法で12目作り目し、模様編みBの目を拾いながら編んで1705段で1周します。編終りは編始めとメリヤスはぎにします。仕上げに、水に浸してネットに入れて軽く脱水し、シーツの上などに広げて乾かします。

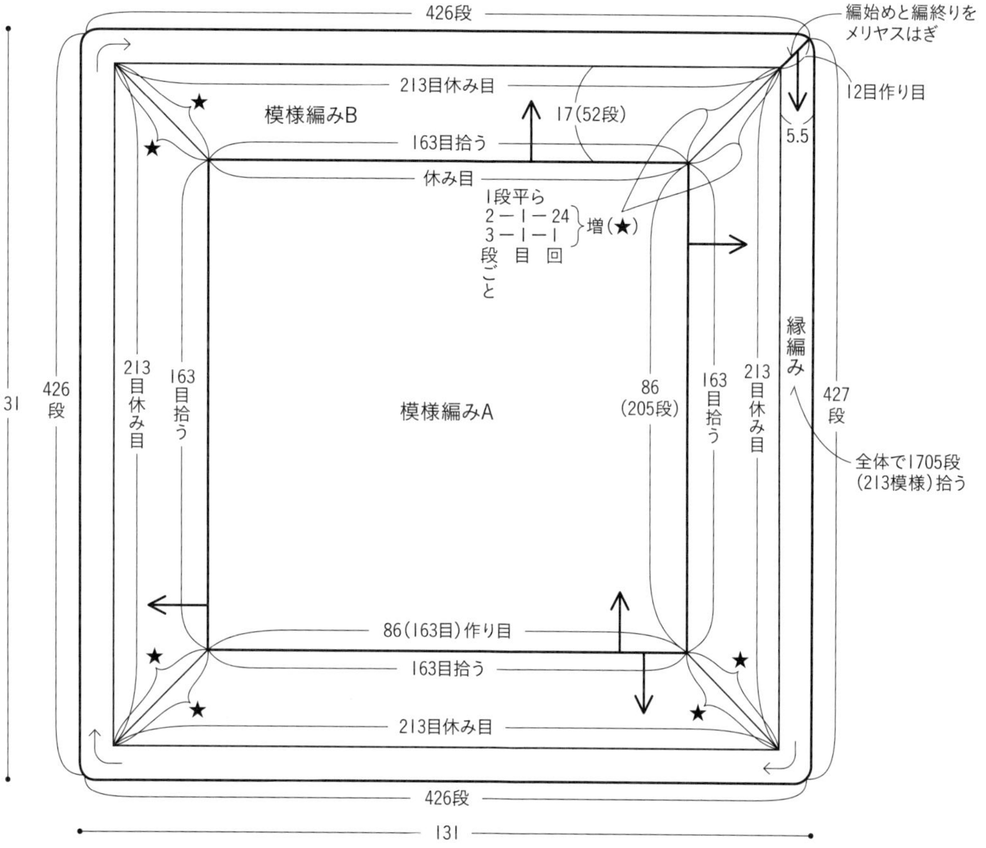

模様編みAの記号図

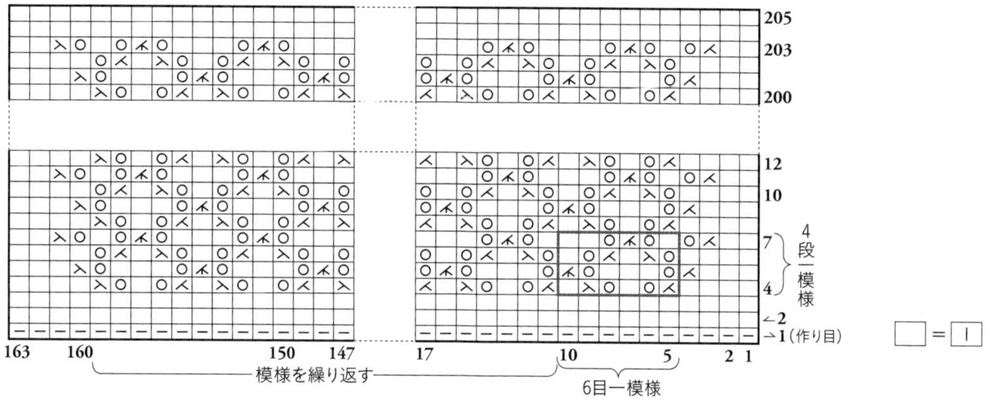

模様編みB、縁編みの記号図

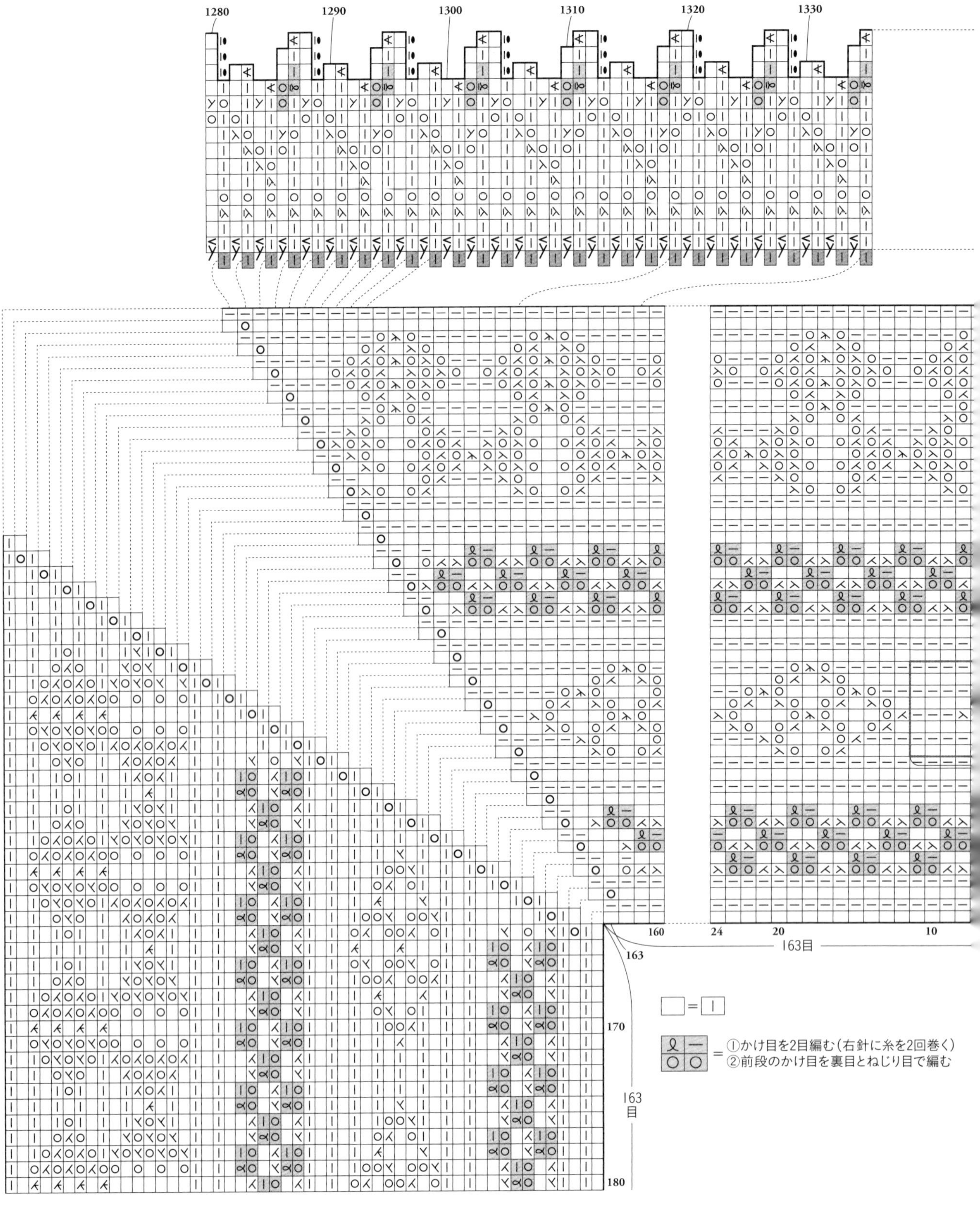

□ = |

= ①かけ目を2目編む（右針に糸を2回巻く）
②前段のかけ目を裏目とねじり目で編む

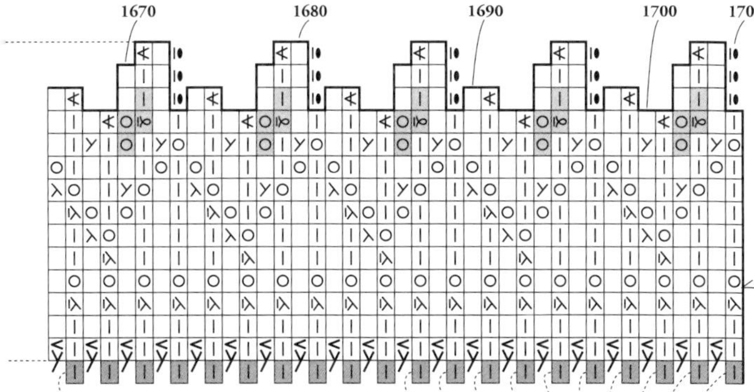

― → ＝模様編みBの目を裏を見ながら表目で編む

V> ＝前段の1目めを2目めにかぶせ、
編まずにすべり目にする
(2段め※のみ、模様編みBの最後の目を
1目めにかぶせ、編まずにすべり目にする)

― ⁀ / ○○ → ← ＝①かけ目を2目編む(右針に糸を2回巻く)
②前段のかけ目を裏を見ながら
表目とねじり目で編む

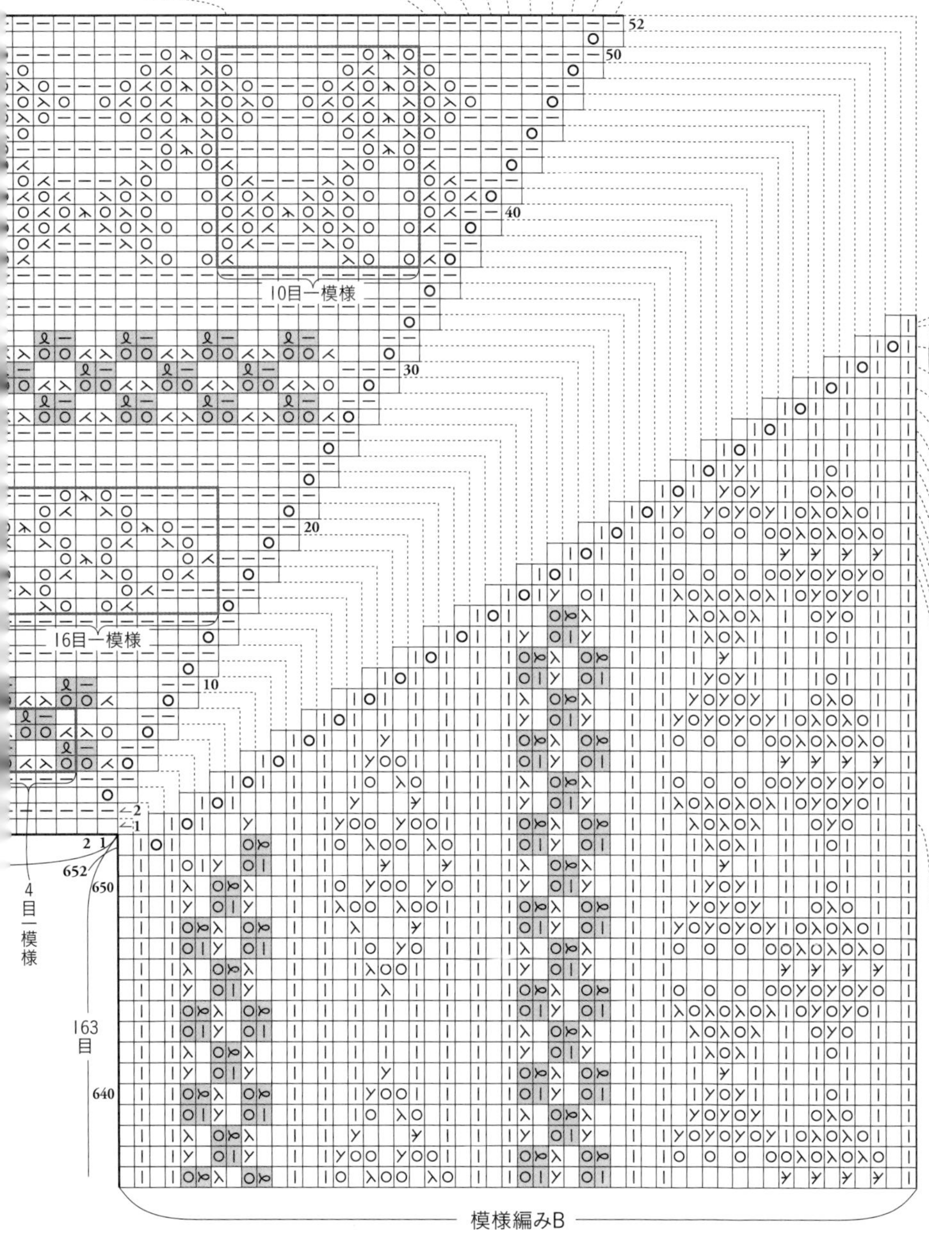

メリヤスはぎ

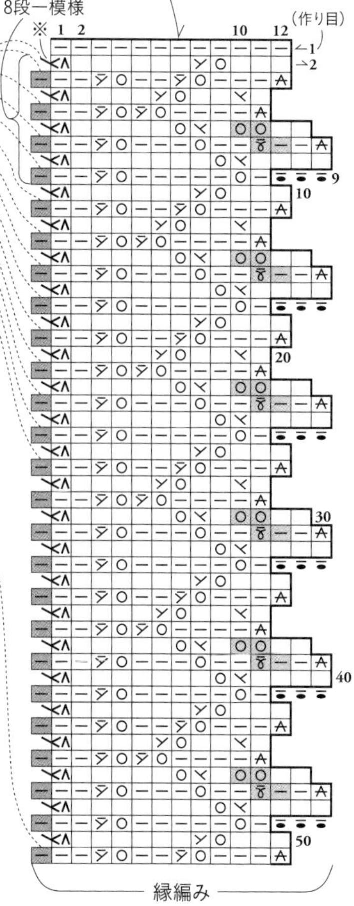

→ 43 ページ

いろんな四角のアランセーター

[糸]　パピー ブリティッシュエロイカ
淡ベージュ（134）…570g
[用具]　7号、9号2本棒針
[ゲージ]　模様編みA　21目26段が10cm四方
模様編みB　22.5目26段が10cm四方
模様編みC　22目24段が10cm四方
[サイズ]　胸回り90cm、着丈61.5cm、ゆき丈70cm
[編み方]　糸は1本どりで編みます。

前後身頃は、それぞれ針にかかった目から編み出す方法で81目作り目し、7号針で変りゴム編みを編みます。9号針に替えて85目に増し、模様編みA、Bで編みます。続けて、ヨークは変りゴム編みを肩で引返し編みをしながら編み、衿ぐりは、前段と同じ記号で伏止めにします。袖は、同様に47目作り目し、7号針で変りゴム編みを編みます。9号針に替えて48目に増し、かのこ編みと模様編みCで編み、編終りは前段と同じ記号で伏止めにします。肩を引抜きはぎにし、脇をスリット止りまですくいとじにします。袖下をすくいとじにし、身頃と袖を中表にして引抜きはぎでつけます。

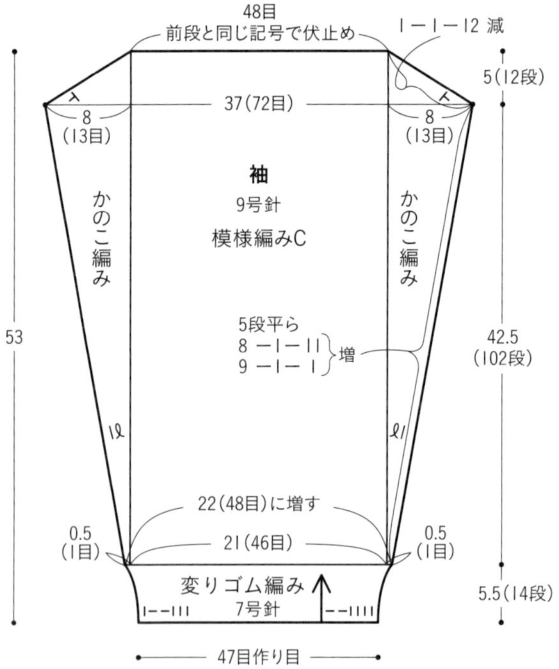

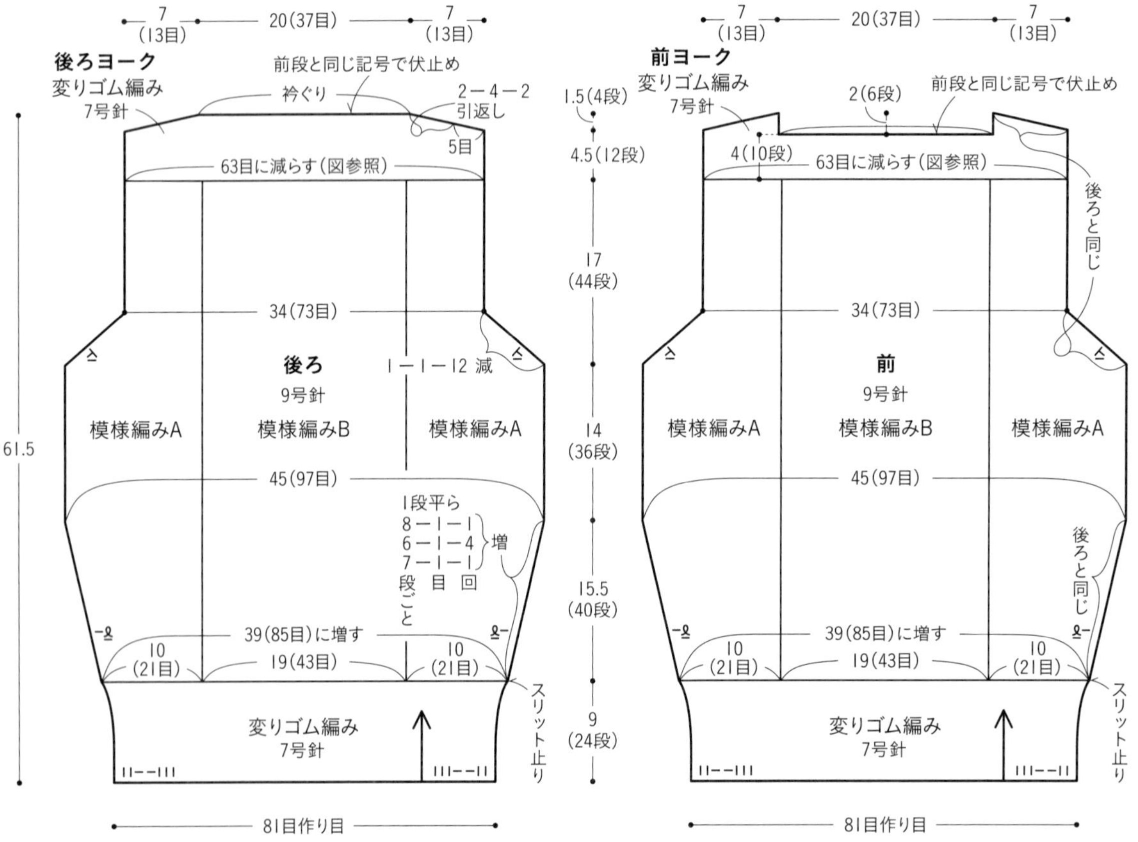

前後の編み方

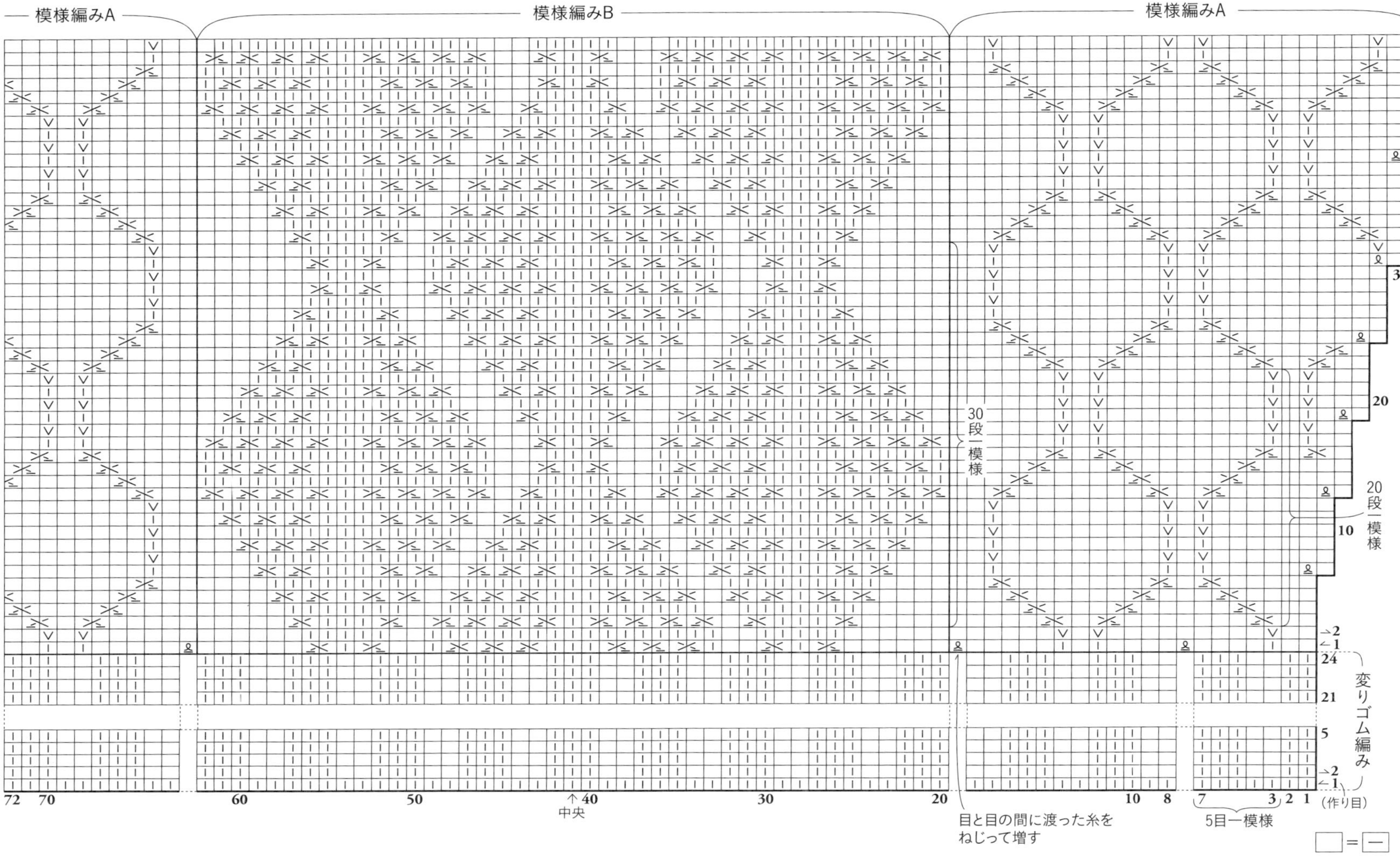
模様編みA
模様編みB
模様編みA
30段一模様
20段一模様
変りゴム編み
中央
目と目の間に渡った糸をねじって増す
5目一模様
(作り目)
□＝－

後ろヨークの編み方

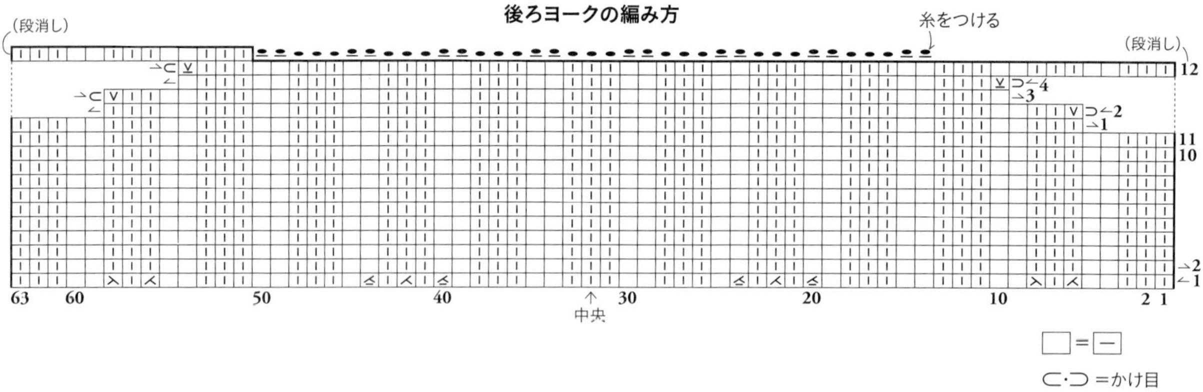

前ヨークの編み方

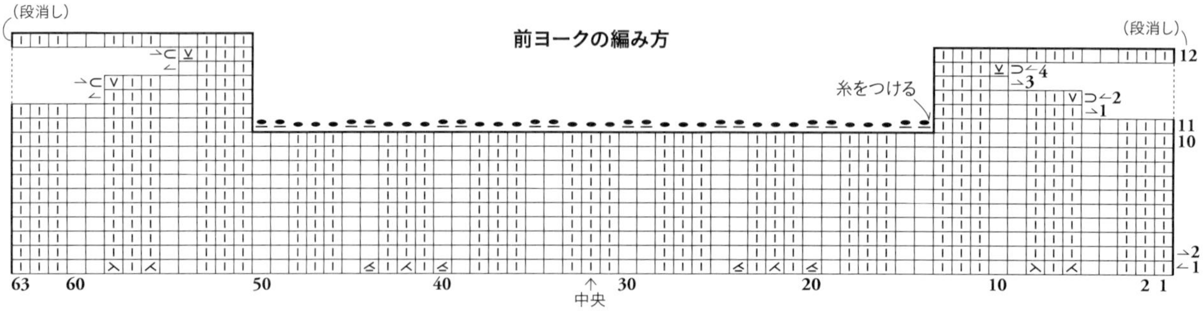

袖の編み方

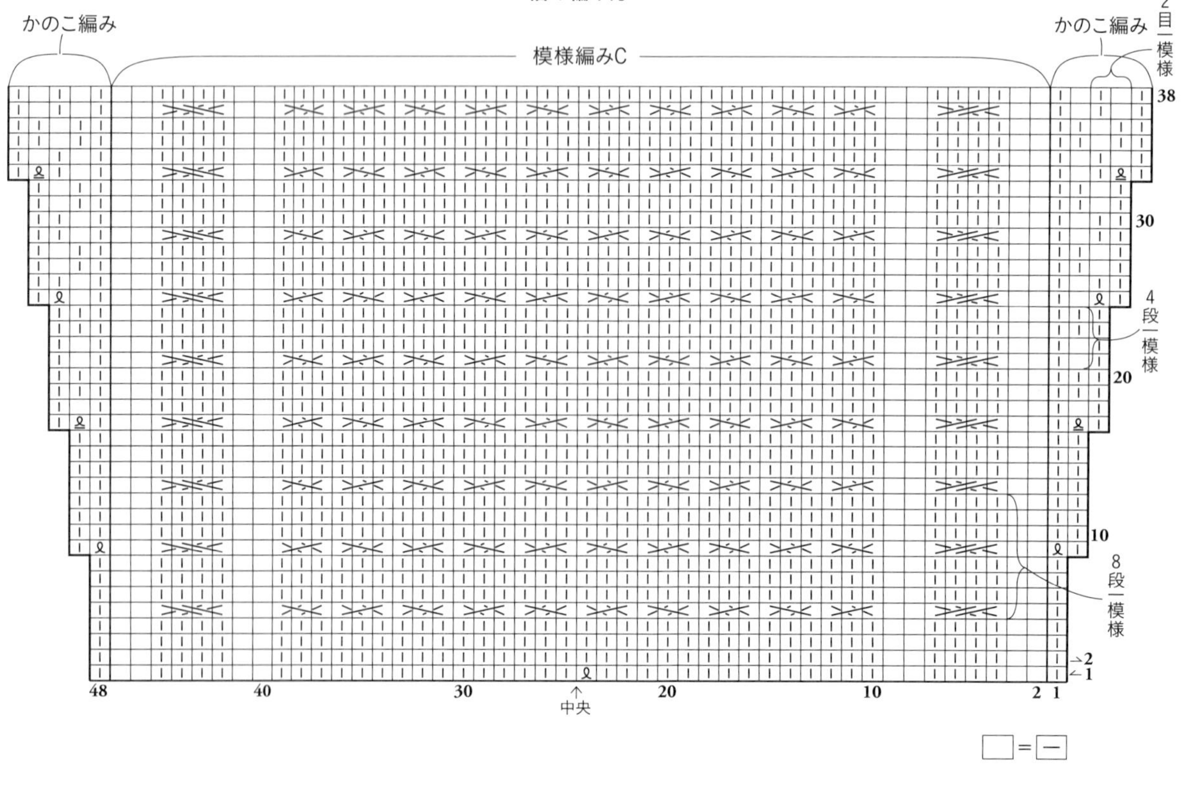

編みものの基礎

製図の見方

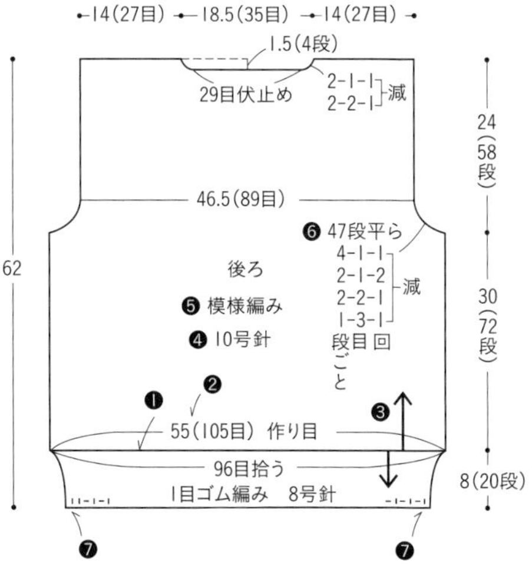

❶編始め位置
❷寸法(cm)
❸編む方向
❹使う針
❺編み地
❻計算
❼ゴム編みの端目の記号

記号の見方

計算

47段平ら
4-1-1
2-1-2
2-2-1
1-3-1
段目回
ごと
減

→

記号図で表わした場合

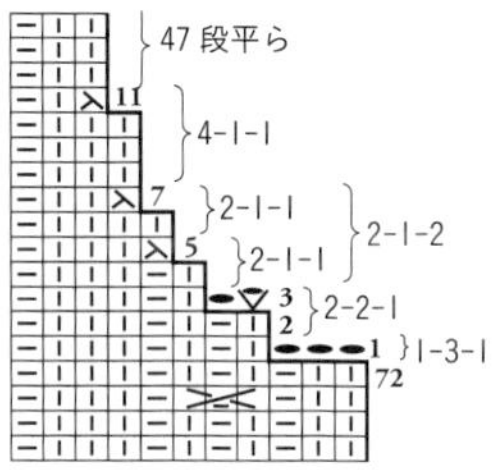

増す場合は減し方と同じ要領で
減し目を増し目に変えます。

「端2目立てて減らす」とは

「目を立てる」とは編み目をくずさずに通すことを意味し、ラグラン線の減し目などによく使われます。「端2目立てて減らす」という場合は端から2目めが3目めの上になるように2目一度をします。

記号図で表わした場合

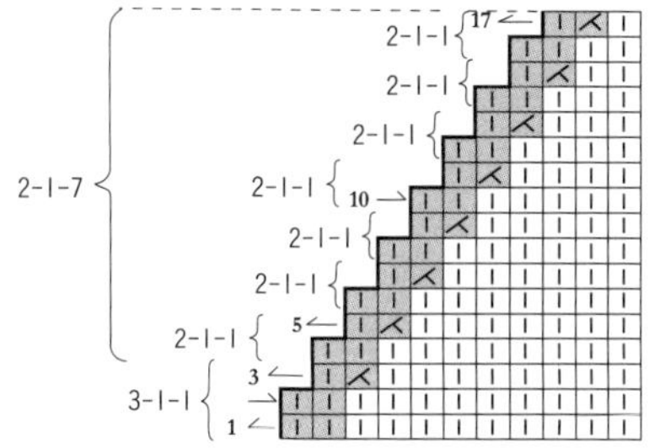

編み地

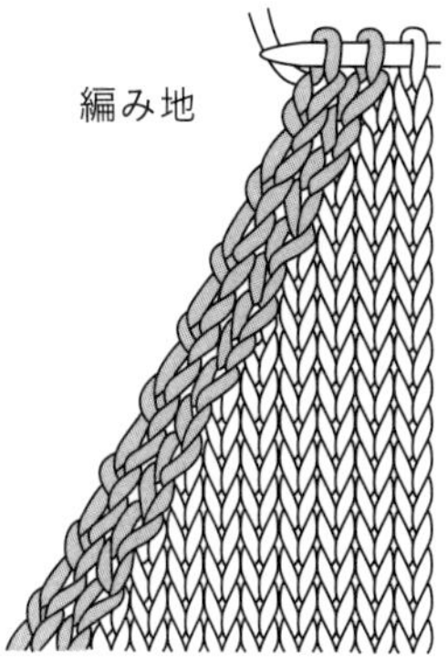

記号図の見方

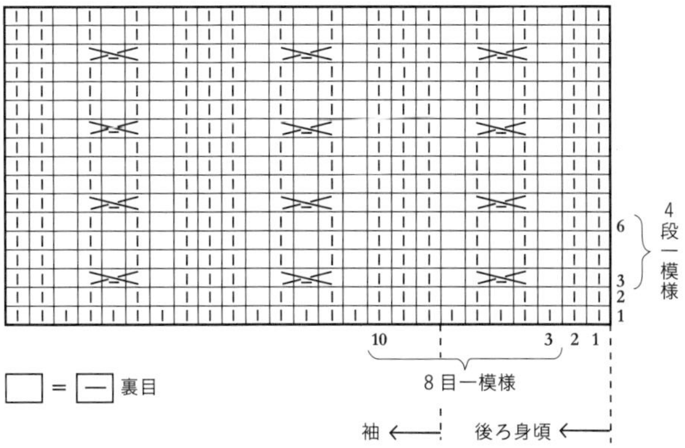

□ = ⊟ 裏目

記号図は編み地の表側から見たもので、例外を除き、後ろ身頃の右端の1段めから書かれ、縦の数字は段数、横の数字は目数を表わしています。「4段一模様」や「8段一模様」はそれを繰り返して編むという意味で、左端は身頃の左端の編み目になります。
1段めに矢印「→」があるときは、1段めを左側（裏側）から編みます。途中に「袖←」などの指定があるときは、指定（袖）の右端をその位置から編み始めるという意味です。

作り目（針にかかった目から編み出す方法）

1

左針に1目めを指で作る

2

1目めに右針を入れ、糸をかける

3

引き出す

4

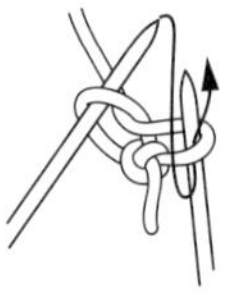

引き出した目を左針に移す。右針は抜かないでおく

5

移した目が2目めとなる

6

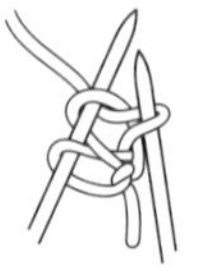

2～4と同様に糸をかけて引き出し、左針に移す

7

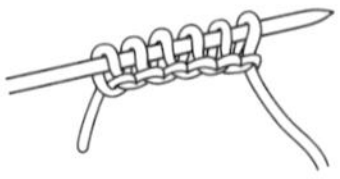

必要目数作る。表目1段と数える

チャネルアイランドの作り目 （p.108「白いガンジーセーター」）

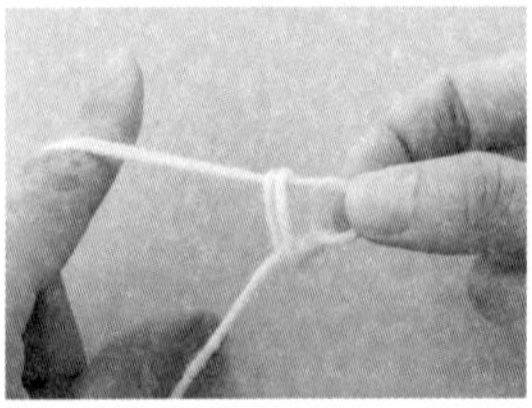

1 必要目数×3.5cmの糸を2本用意する。糸の3分の1の位置で2本一緒に輪を作る。

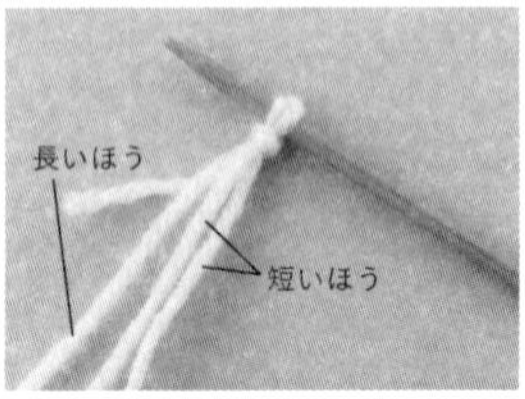

2 輪を針に通し、これを2目と数える。長いほうの1本は約5cm残してカットする。

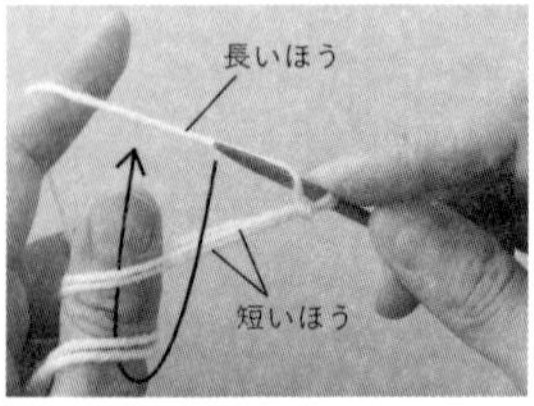

3 2本の糸を左手の親指に反時計回りに2周巻く。1本の糸を針にかけ、矢印のようにすくう。

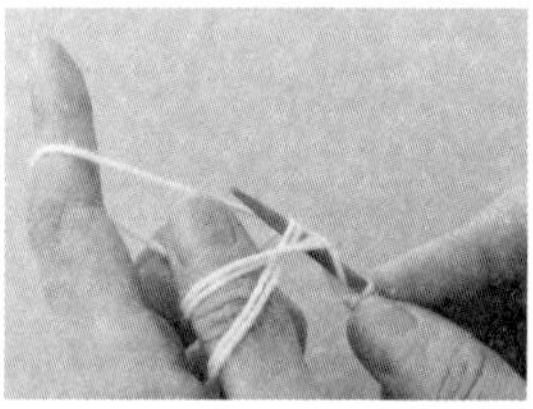

4 すくったところ。

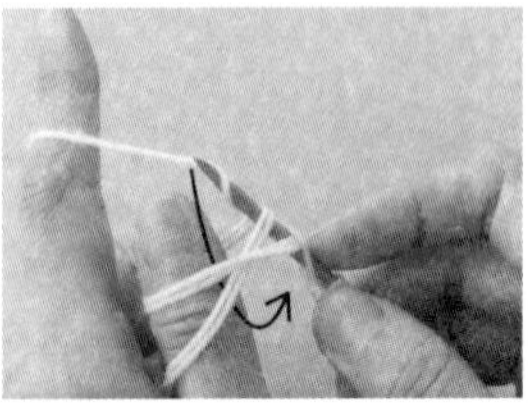

5 針に糸をかけ、3と同じところにくぐらせながら、表目の要領で編む。親指の糸をはずす。

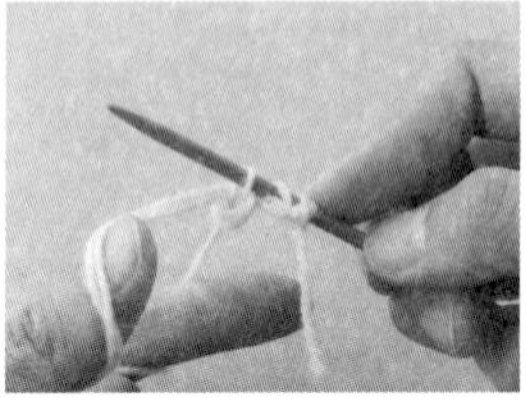

6 ゆっくり引く。5の目の下に結び目ができる。引き締めすぎると、結び目が小さくなるので注意する。

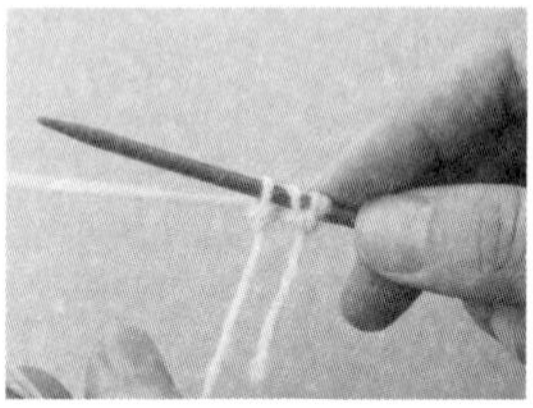

7 引き締めたところ。一度の操作で、かけ目と結び目のついた目の2目ができる。

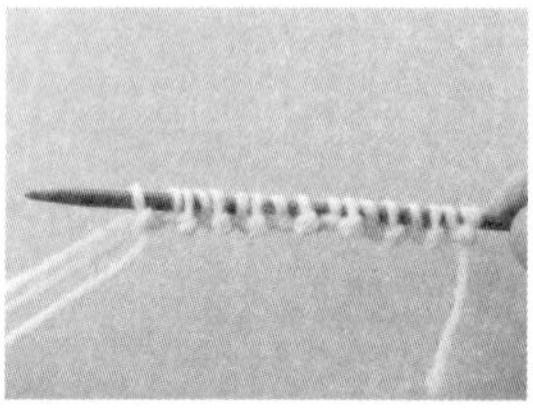

8 3～7を繰り返し、必要目数作る。(必要目数÷2)-1回を操作することになる。表目1段と数える。

輪の作り目 （p.106「コアラのティーコージー」）

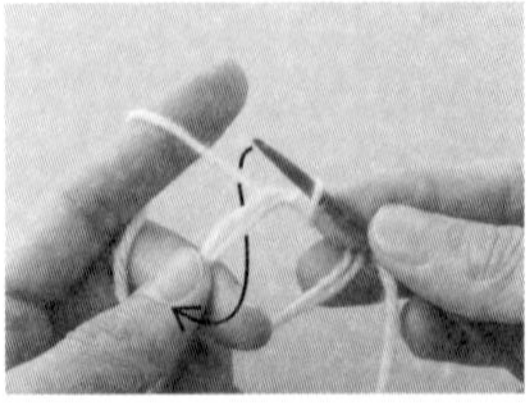

1 糸端を2重の輪にする。輪に針を手前側から入れ、表目を1目編み出す。続けて、同じ輪に向う側から針を入れる。

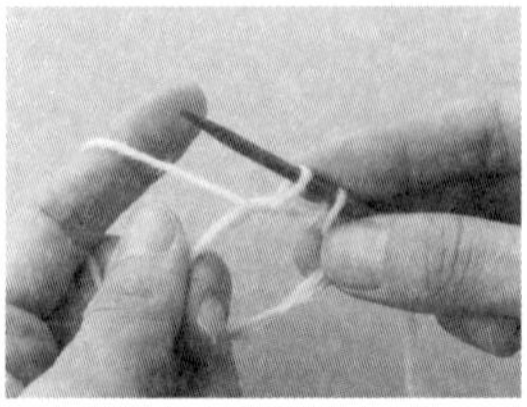

2 裏目を1目編み出す。

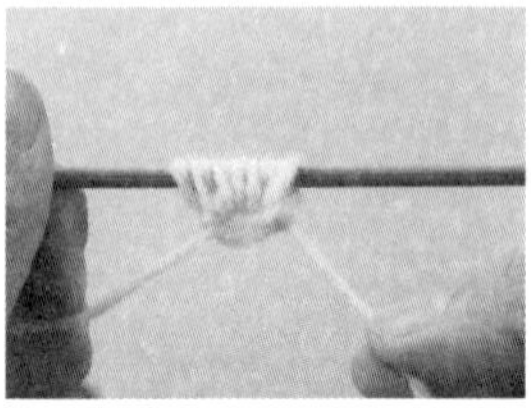

3 1、2を繰り返し、必要目数を編み出す。糸端を引き、小さくなったほうの輪の糸を引いて、徐々に輪を引き締める。

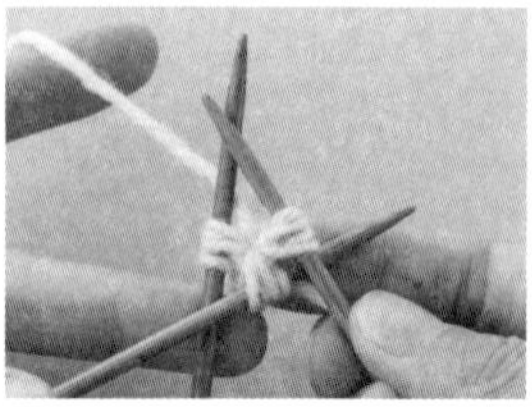

4 作り目を3本の針に分ける。4本めの針で2段めを編む。

編み目記号

編み目記号は編み地の表側から見た操作記号です。かけ目・巻き目・すべり目・浮き目を除き、1段下にその編み目ができます

表目

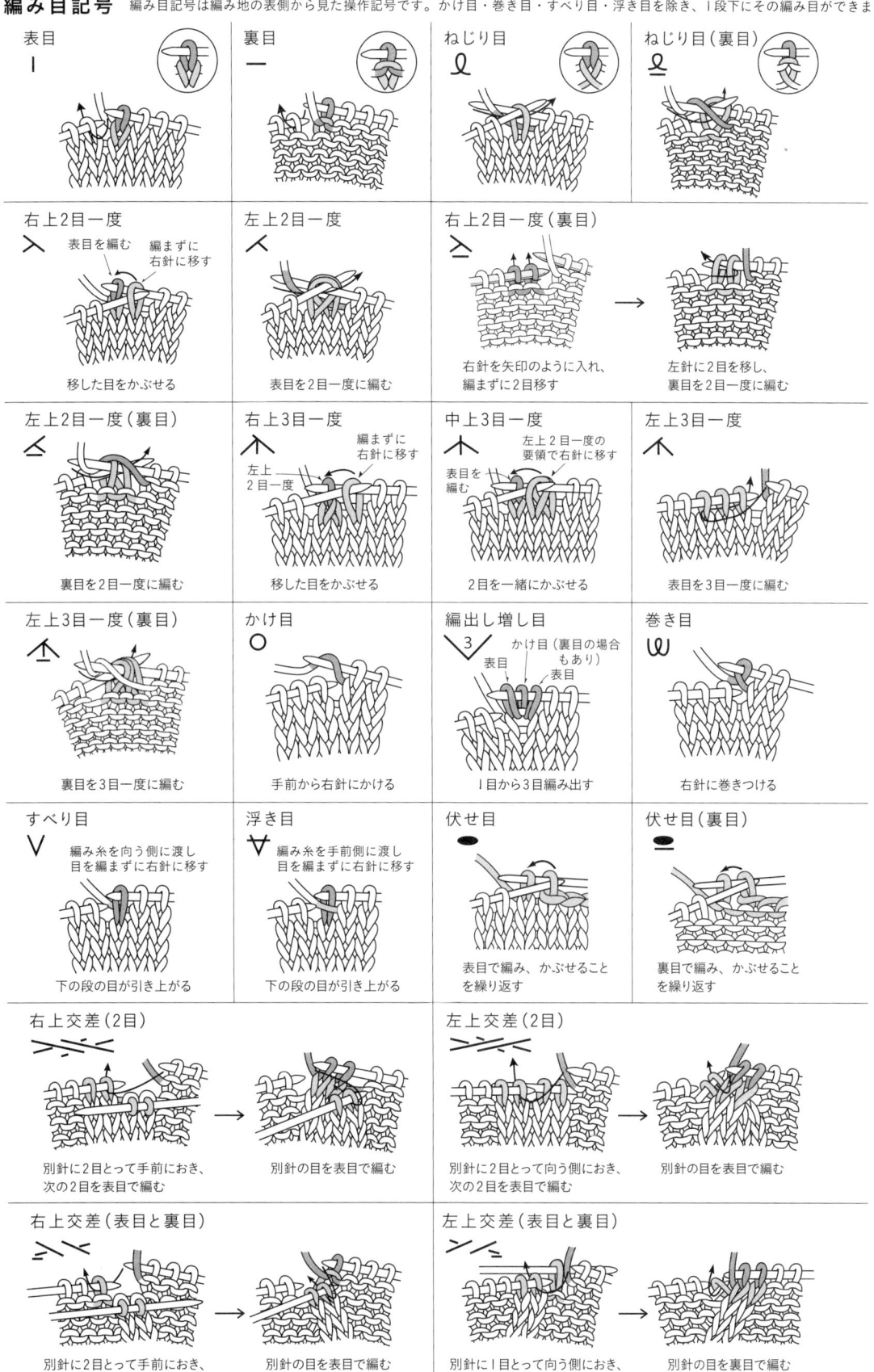

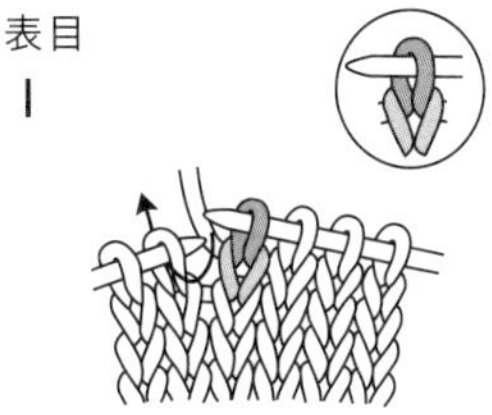

裏目

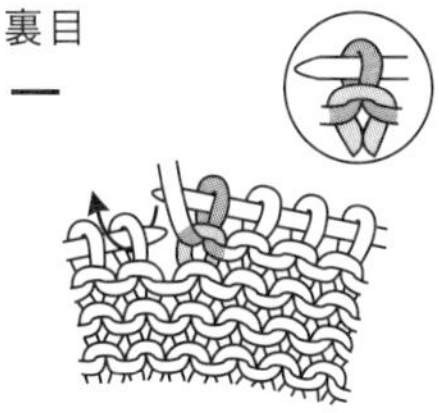

ねじり目

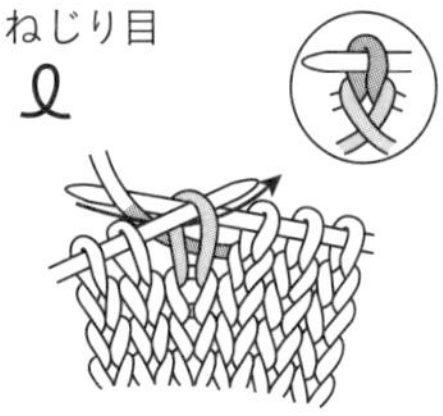

ねじり目(裏目)

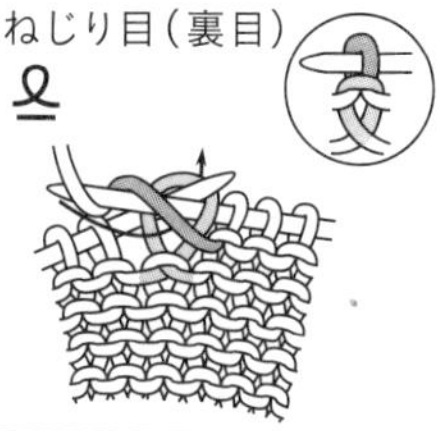

右上2目一度

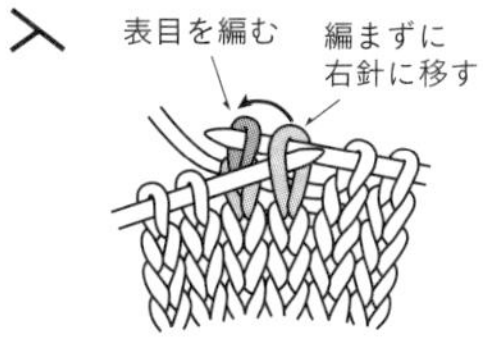

移した目をかぶせる

左上2目一度

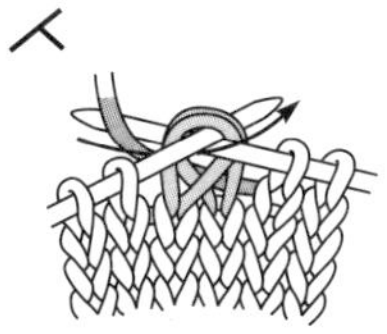

表目を2目一度に編む

右上2目一度(裏目)

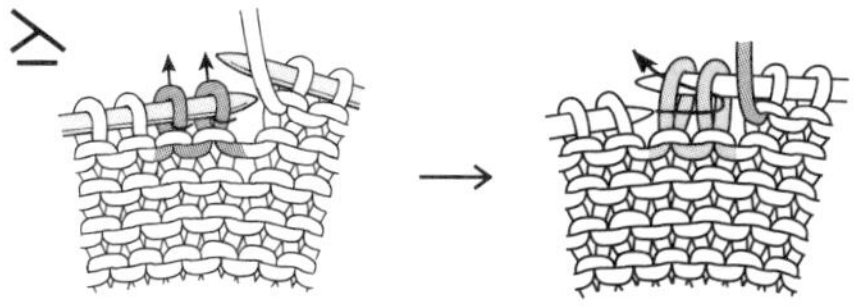

右針を矢印のように入れ、
編まずに2目移す

左針に2目を移し、
裏目を2目一度に編む

左上2目一度(裏目)

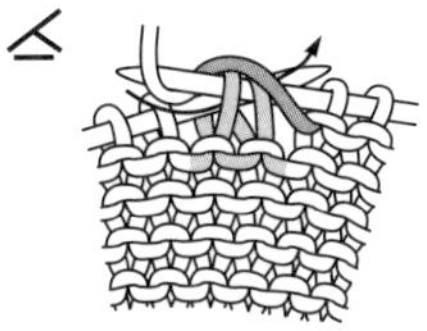

裏目を2目一度に編む

右上3目一度

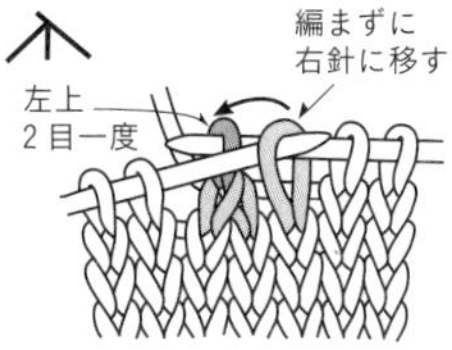

移した目をかぶせる

中上3目一度

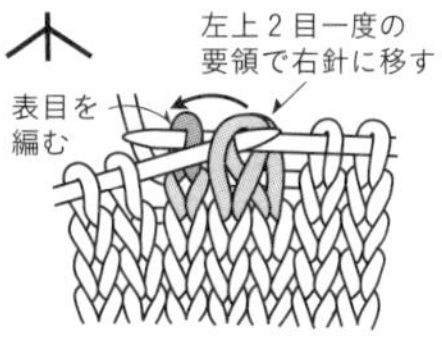

2目を一緒にかぶせる

左上3目一度

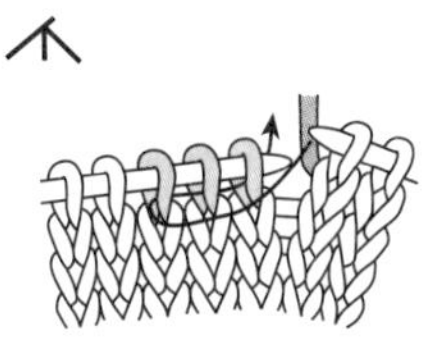

表目を3目一度に編む

左上3目一度(裏目)

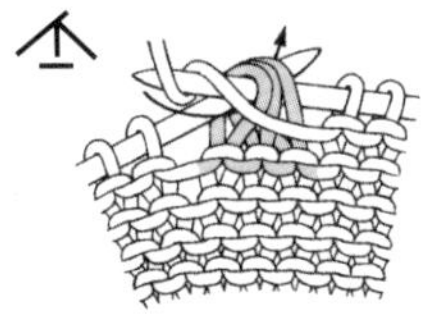

裏目を3目一度に編む

かけ目

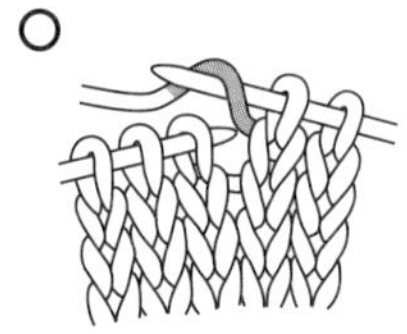

手前から右針にかける

編出し増し目

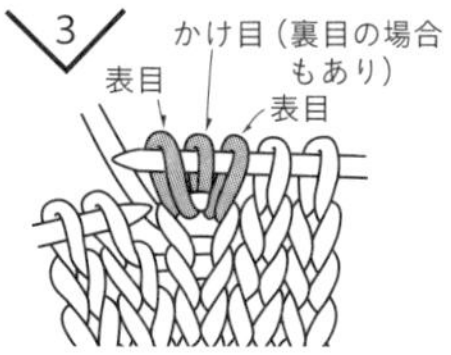

1目から3目編み出す

巻き目

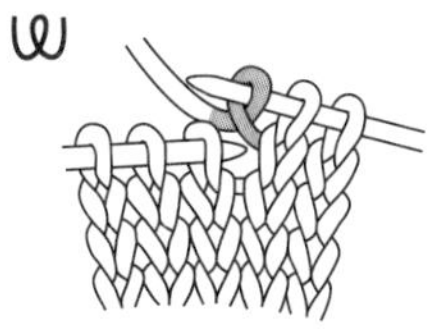

右針に巻きつける

すべり目

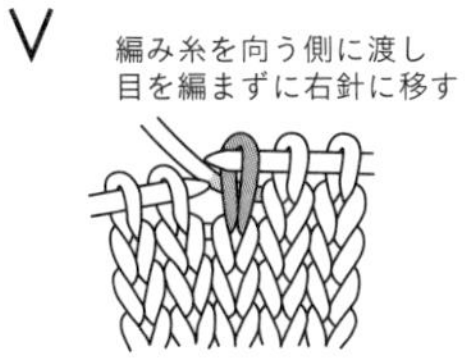

下の段の目が引き上がる

浮き目

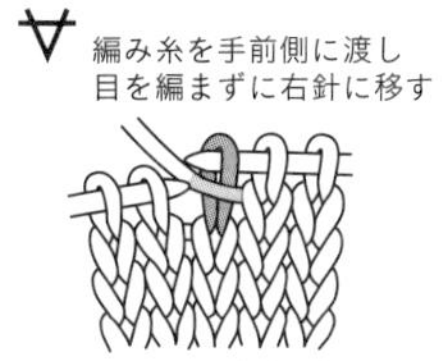

下の段の目が引き上がる

伏せ目

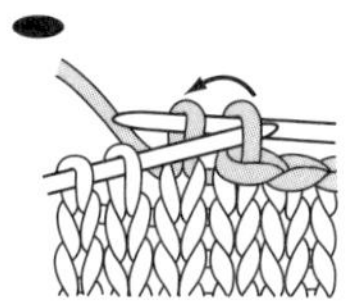

表目で編み、かぶせること
を繰り返す

伏せ目(裏目)

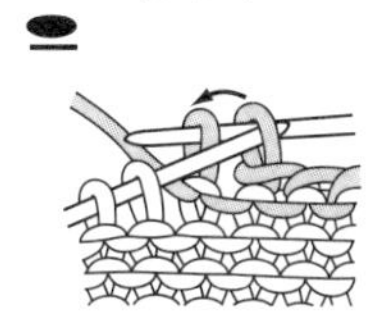

裏目で編み、かぶせること
を繰り返す

右上交差(2目)

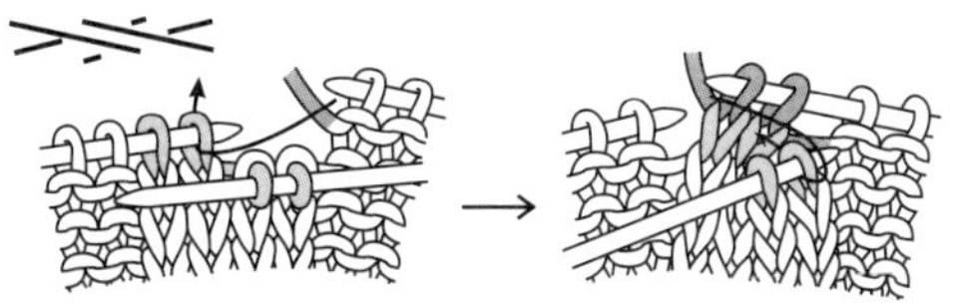

別針に2目とって手前におき、
次の2目を表目で編む

別針の目を表目で編む

左上交差(2目)

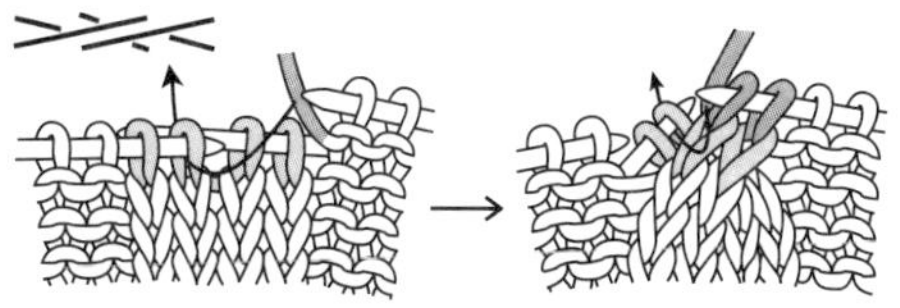

別針に2目とって向う側におき、
次の2目を表目で編む

別針の目を表目で編む

右上交差(表目と裏目)

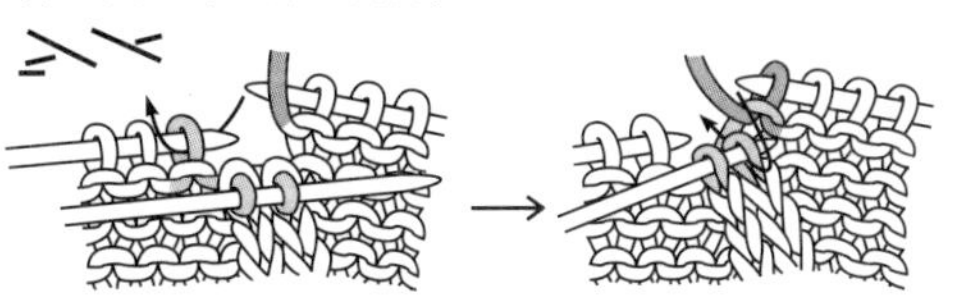

別針に2目とって手前におき、
次の1目を裏目で編む

別針の目を表目で編む

左上交差(表目と裏目)

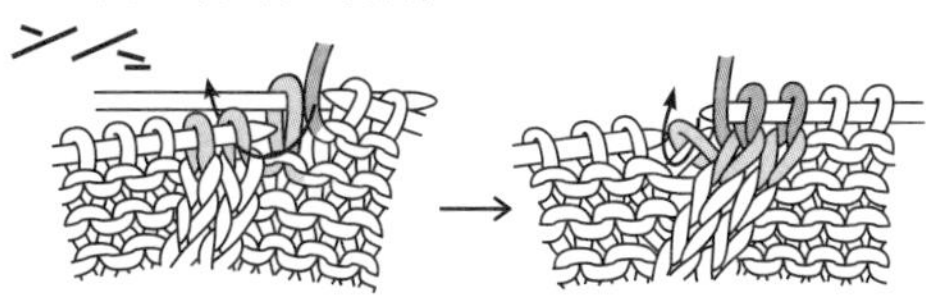

別針に1目とって向う側におき、
次の2目を表目で編む

別針の目を裏目で編む

1目内側でねじり目で増す方法　目と目の間をねじって増します。

右側

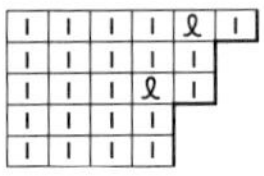

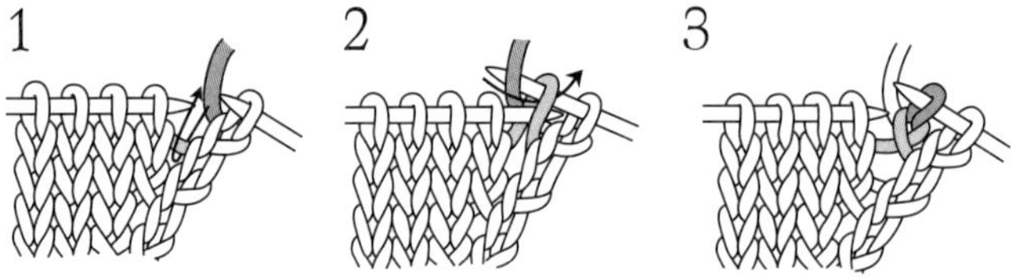

1目めと2目めの間の渡り糸を右の針ですくい、ねじり目で編む　※左側も同様に編む

セーターの裾や袖口のゴム編みとの境目で増し目をするときも同じ方法で増す

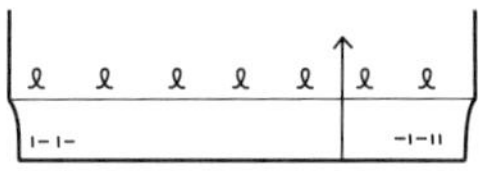

端で1目減らす方法

右側

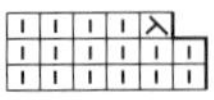

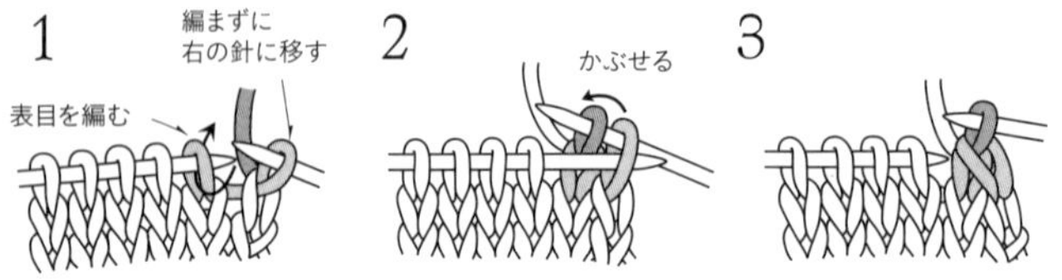

左側

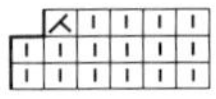

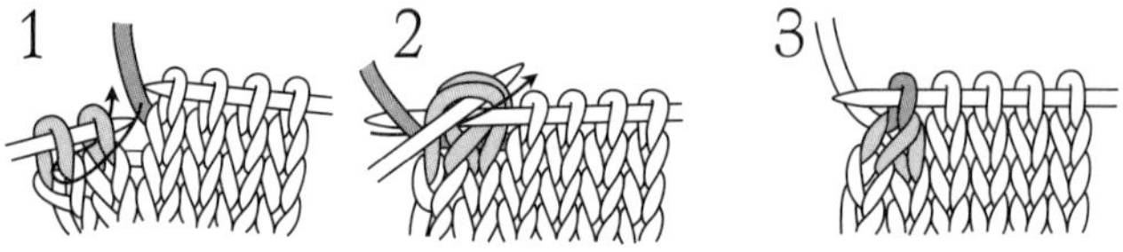

裏側で減らす場合

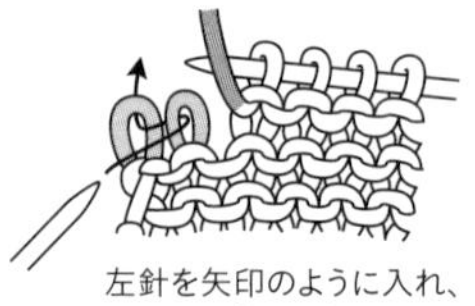

左針を矢印のように入れ、
目を入れ替えて編む

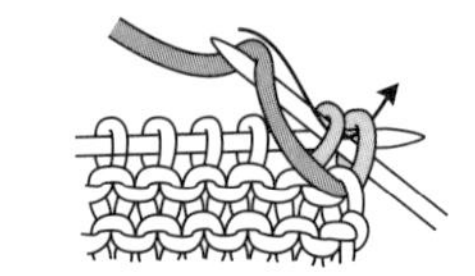

端で2目以上減らす方法　糸のある側で操作を始めるので、左右で1段ずれます。

右側

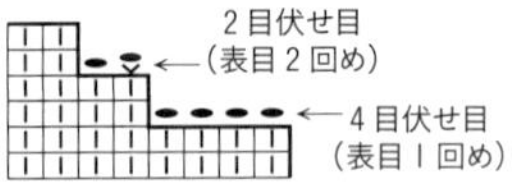

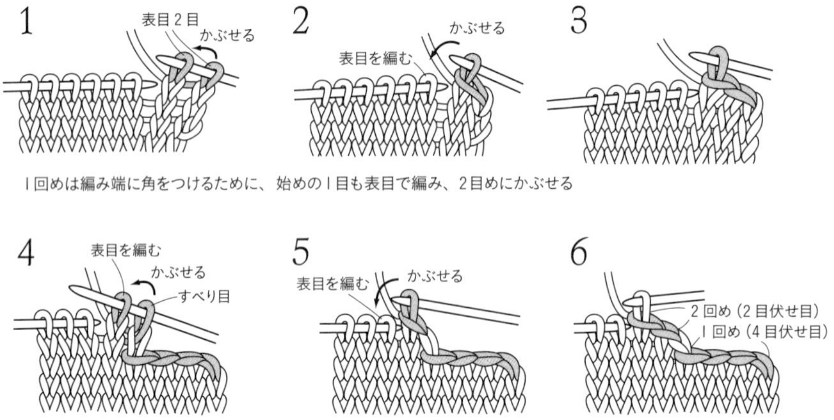

1回めは編み端に角をつけるために、始めの1目も表目で編み、2目めにかぶせる

2回め以降は編み地をなだらかにするために、始めの1目は編まずにすべり目して
次の目は表目を編み、すべり目を表目にかぶせる

左側

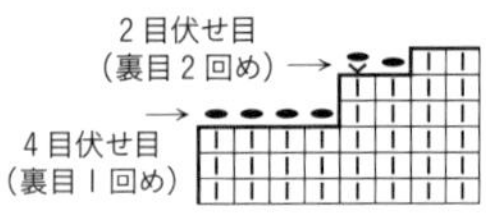

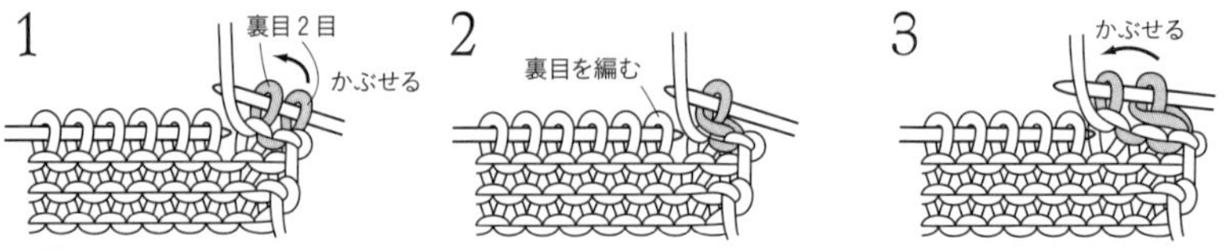

1回め

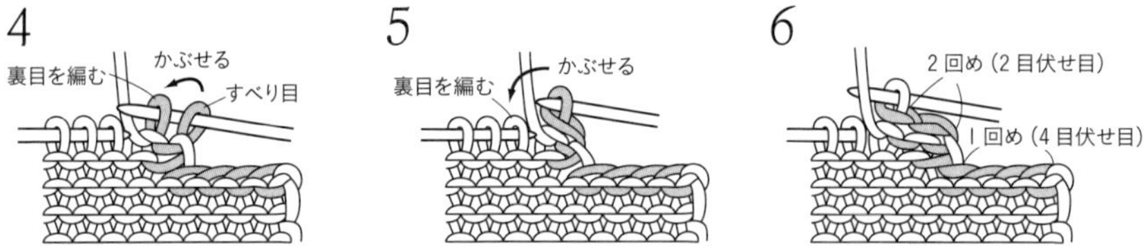

2回め

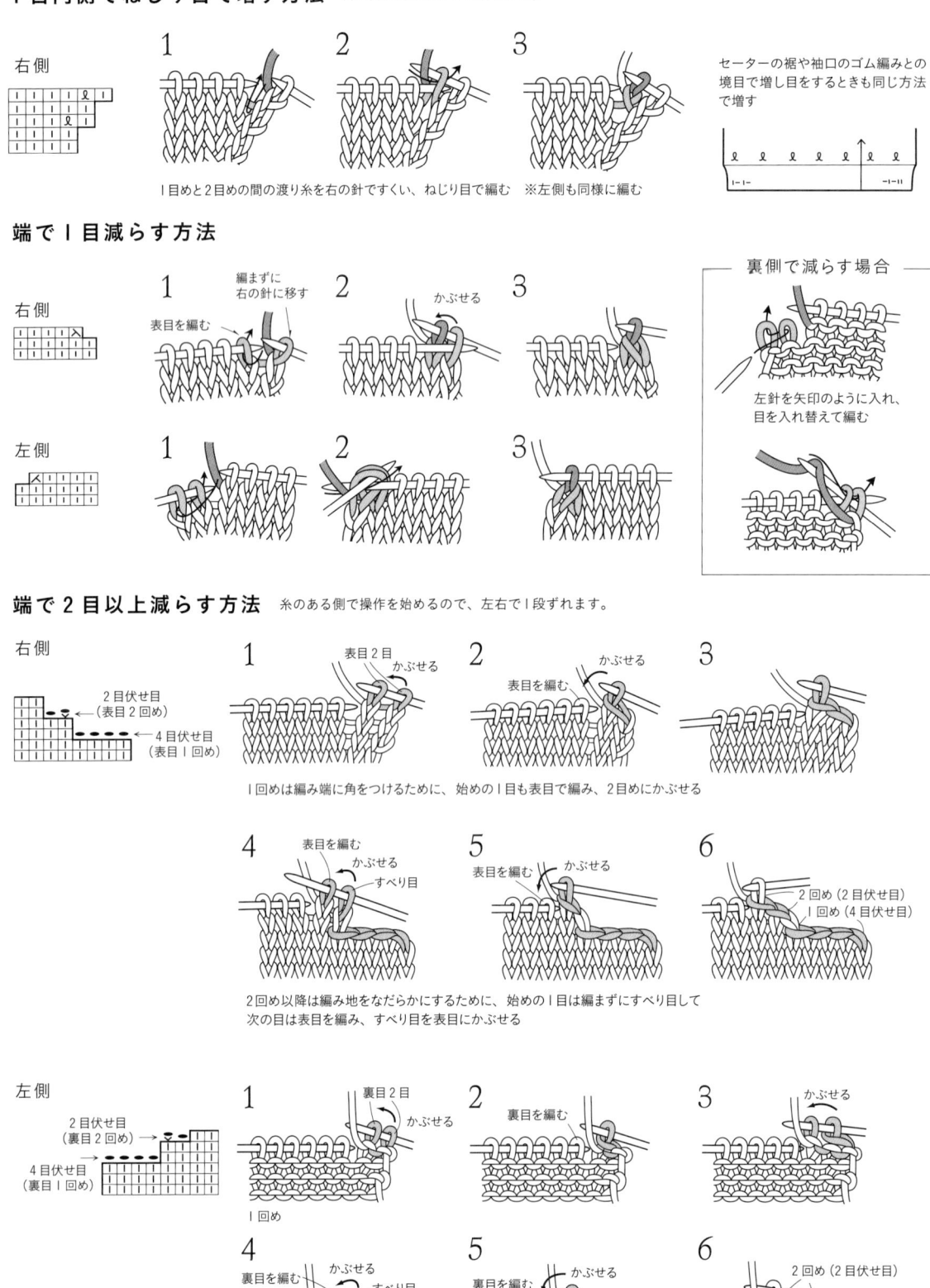

引返し編み

2段ごとに編み残す引返し編み。引返し編みは編終り側で操作を始めるので、左右で1段ずれます。
編始めは引返し編みに入る1段手前から編み残すようにすると、整図上の段差が少なくて済みます。

右側

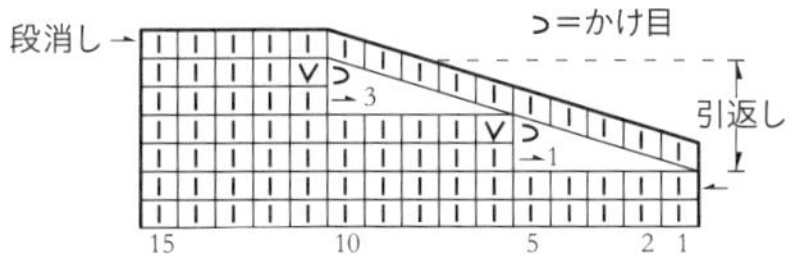

1

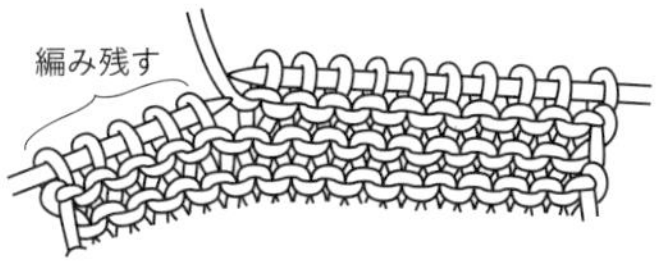

1段め（裏側）。5目編み残す

2

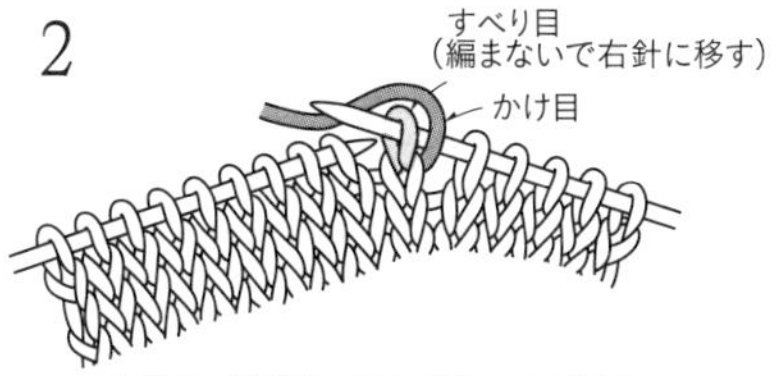

2段め（表側）。表に返し、かけ目をして次の目はすべり目をする。続けて表目を9目編む

3

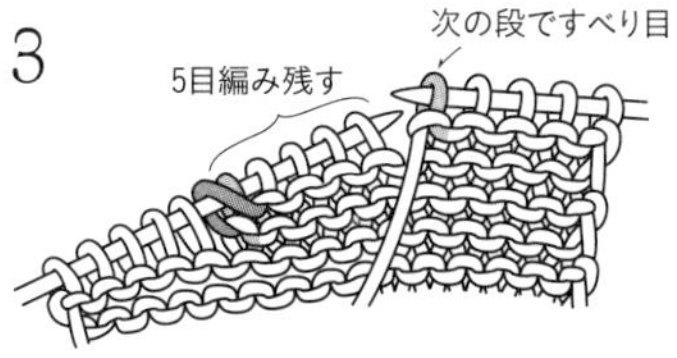

3段め（裏側）。1と同様に5目編み残す

4

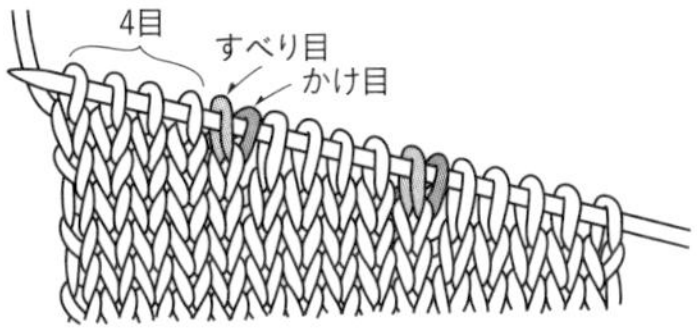

4段め（表側）。2と同様にかけ目とすべり目をして表目を4目編む

5

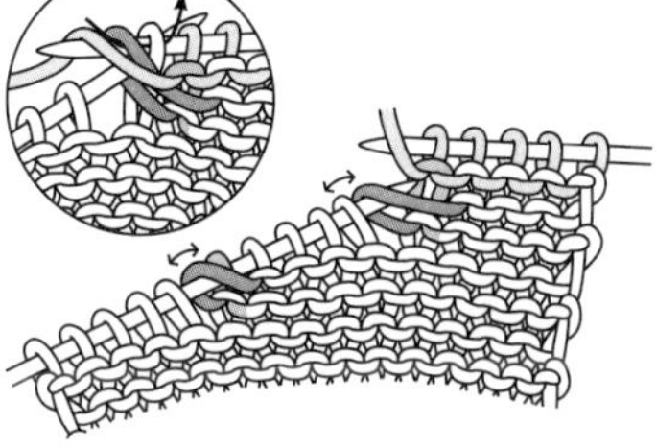

5段め（段消し）。すべり目をした目まで編み、かけ目が裏側（手前）になるように次の目と入れ替えて2目一度に編む

6

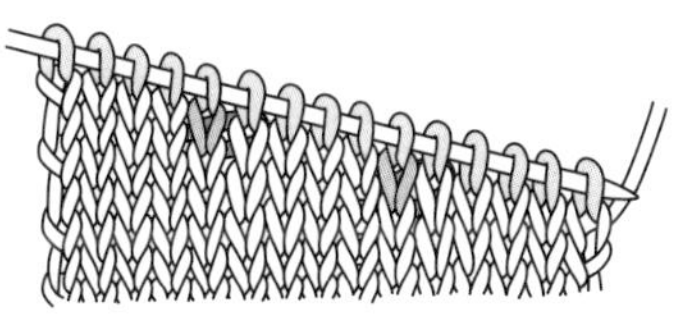

編終りを表側から見た状態

左側

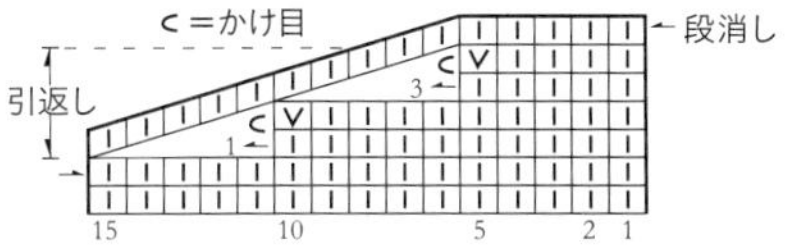

1

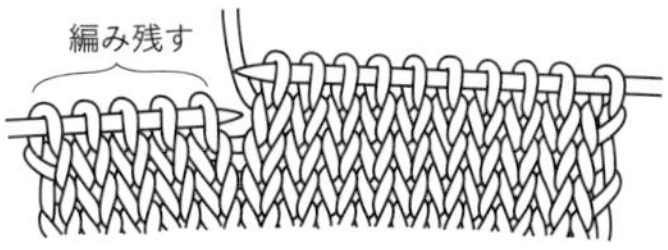

1段め（表側）。5目編み残す

2

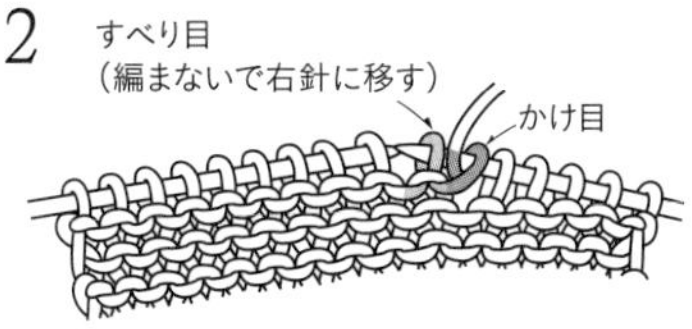

2段め（裏側）。裏返してかけ目をして次の目はすべり目をする。続けて裏目を9目編む

3

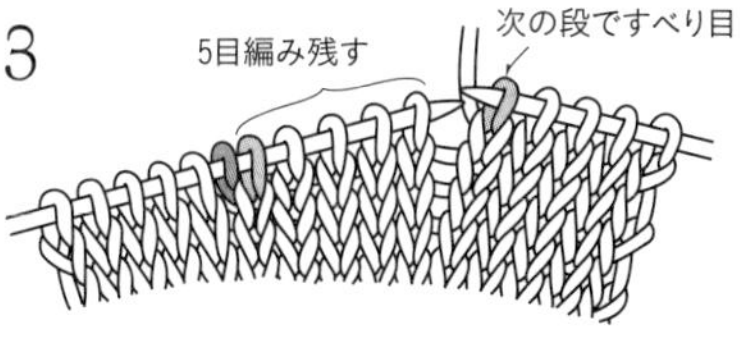

3段め（表側）。1と同様に5目編み残す

4

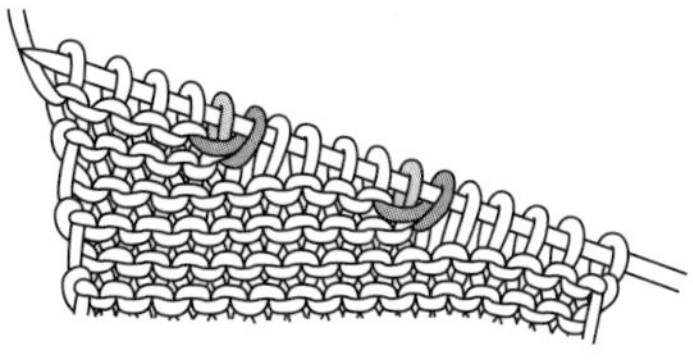

4段め（裏側）。2と同様にかけ目とすべり目をして裏目を4目編む

5

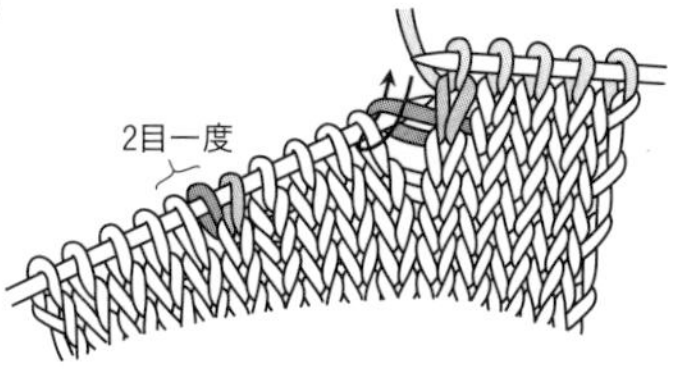

5段め（段消し）。すべり目をした目まで編み、かけ目と次の目を2目一度に編む

6

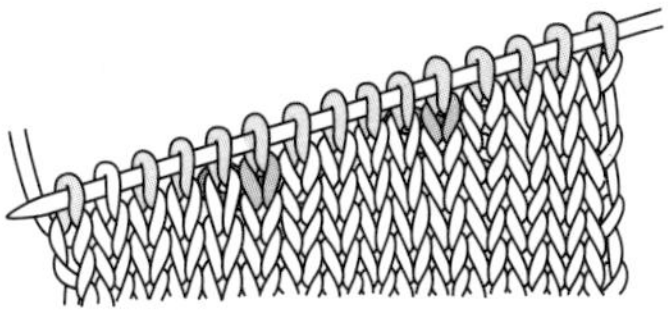

編み終えた状態

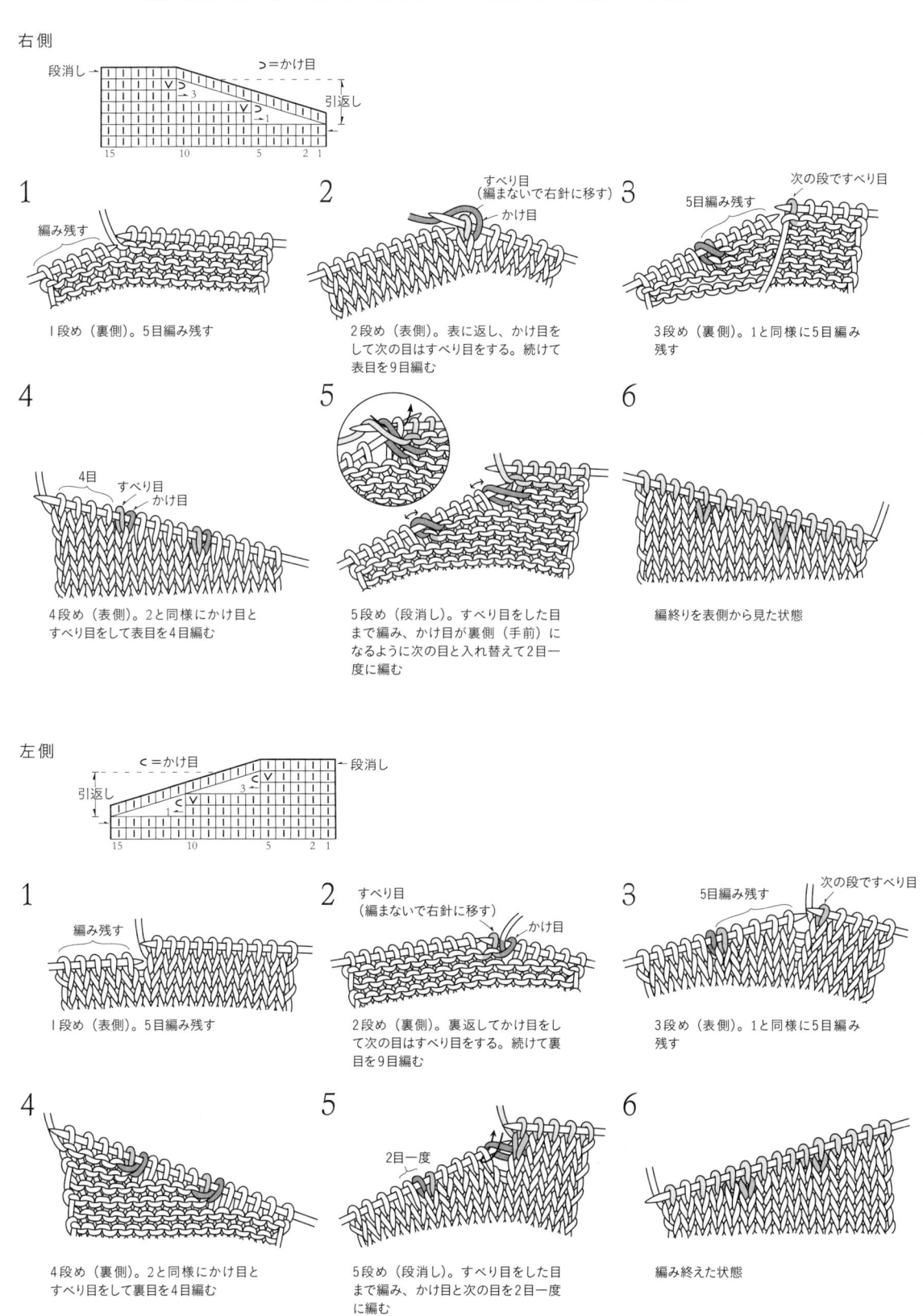

編込み模様の糸の替え方

1

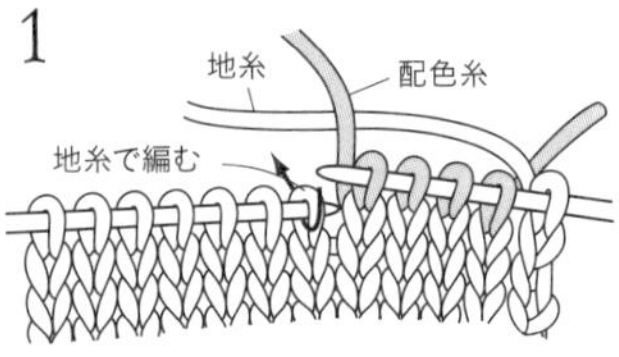

配色糸を上にして、地糸を編む

2

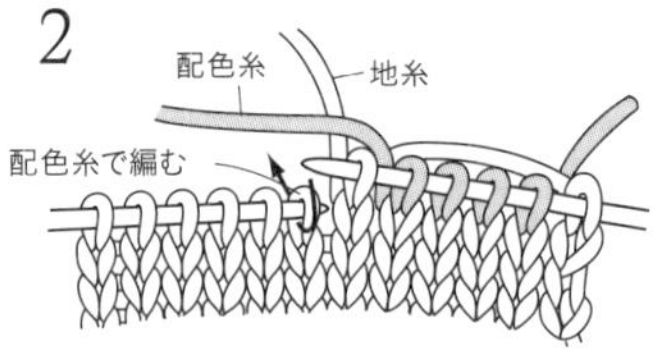

配色糸を地糸の上にして替える

スティークの巻き目の作り目 （p.110「Vネックのフェアアイルセーター」）

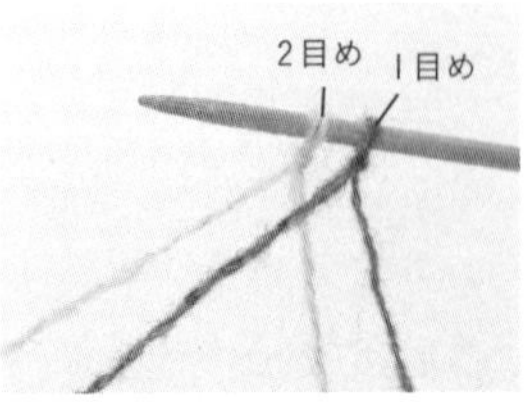

1 新しい糸で糸端に結び目を作り、針に通す。指定の配色で2目作ったところ。

2 手前側から向う側に向かって針に2回巻く。

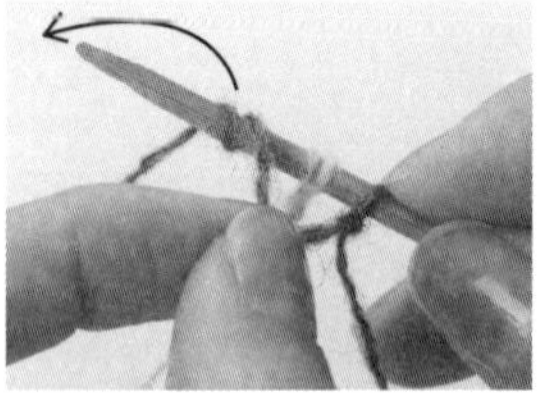

3 1つめのループをつまんで針にかぶせる。

4 かぶせたところ。糸を引き締める。3目めができた。2、3を繰り返し、指定の配色で作り目をする。

スティークの目の拾い方 スティークとは、袖あきや衿あきを作らず輪に編み、あとから切り開くための切り代です。

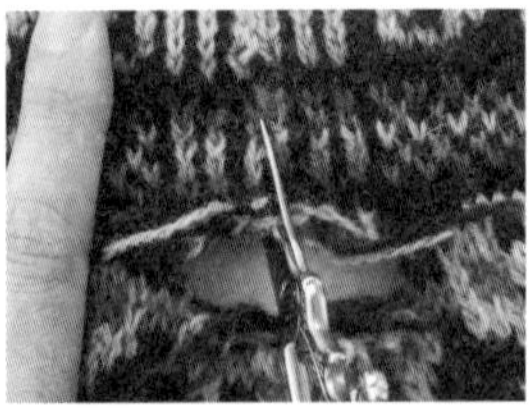

1 脇の中心のスティークの中央にハサミを入れる。

2 身頃を一緒に切らないように注意して、まっすぐ切り開く。

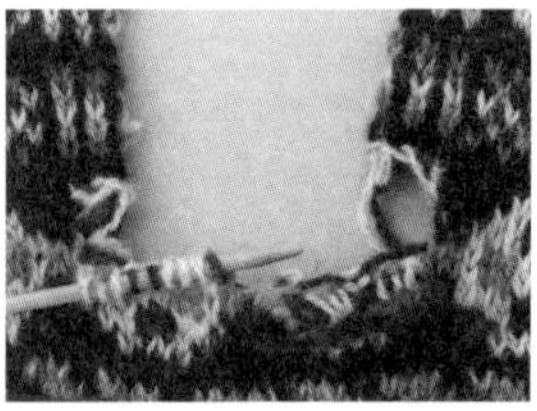

3 脇の休み目18目のうち、左脇の9目を4号輪針で拾う。

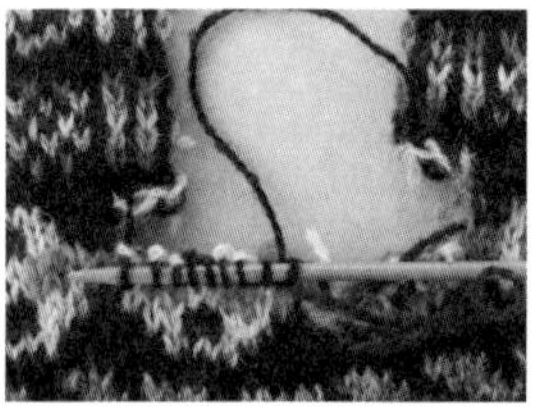

4 袖の1段めを編む。針にとった目を、新しくつけた濃紺の糸で編む。

5 続けて、身頃とスティークの間（右図参照）に針を入れて表目を編む。

6 続けて、袖ぐりから全体で120目を輪に拾う。

針を入れる位置

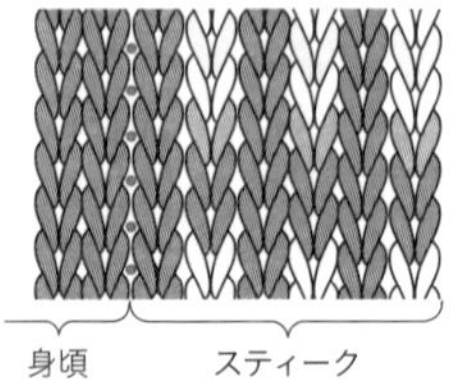

スティークの始末をする 濃紺の糸1本どりでまつりつけます。

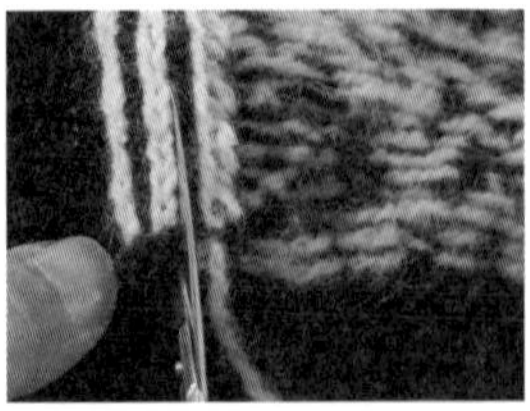

1 袖と衿ぐりを編み終えたら、裏返し、スティークの端2目を切り落とす。

2 4目残す。身頃を一緒に切らないように注意する。

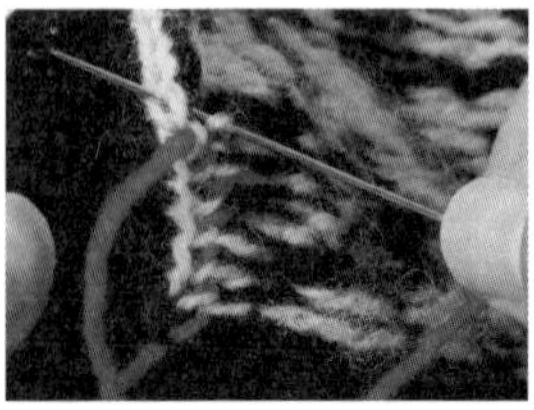

3 4目のうち2目を内側に折り、2目めの半目と身頃の渡り糸をすくって、表にひびかないようにまつる。

親指の目の作り方 （p.116「ラヴァーズ・ケーブルのミトン」）

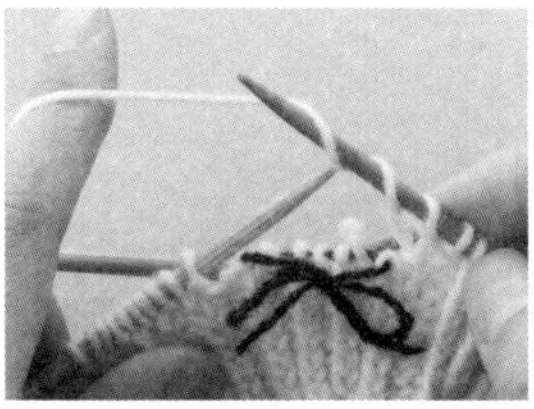

1 親指穴に別糸を通して休める（8目）。親指穴の上側に、巻き目で目を作る。手前から向う側に向かって針に2回巻く。

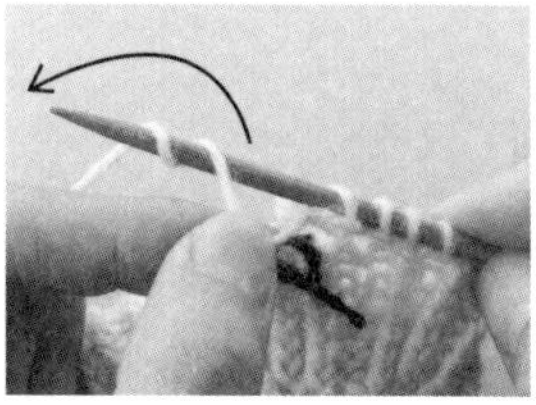

2 1つめのループをつまんで針にかぶせる。

3 かぶせたところ。糸を引き締める。

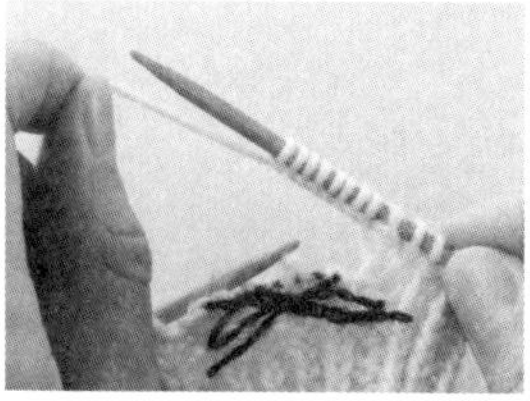

4 同じ要領で、1目ずつ引き締めながら8目作ったところ。

親指の目の拾い方 （p.116「ラヴァーズ・ケーブルのミトン」）

1 休めていた目を針にとり、新たな糸を使い、記号図に従ってねじり目と裏目で8目編む。

2 編んだ目を2本の針に分け、親指穴の左隣の目に矢印のように針を入れる。

3 ねじりながら1目編む。

4 1目編めたところ。

5 上側の目は、作り目の根もとの糸2本がクロスしているところを一度に拾い、表目を編む。

6 1目編んだところ。

7 同じ要領で8目編む。途中、3本めの針に替える。

8 親指穴の右隣の目も2～4と同様にねじり目を編み、全部で18目拾ったところ。

はぎ方・とじ方

引抜きはぎ

1

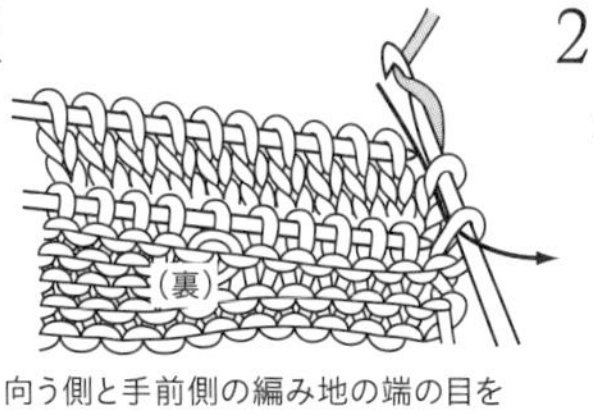

向う側と手前側の編み地の端の目をかぎ針に移し、糸をかけて引き抜く

2

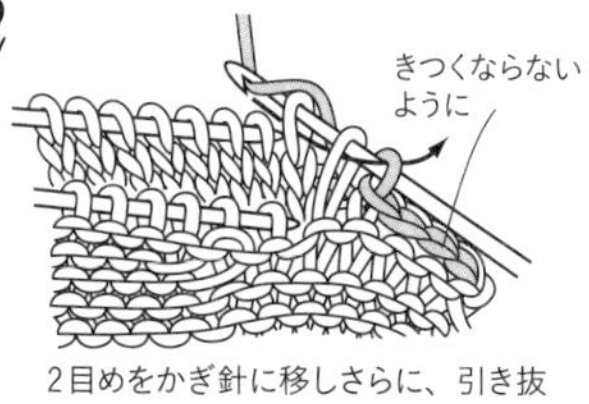

2目めをかぎ針に移しさらに、引き抜く。これを繰り返す

メリヤスはぎ

1

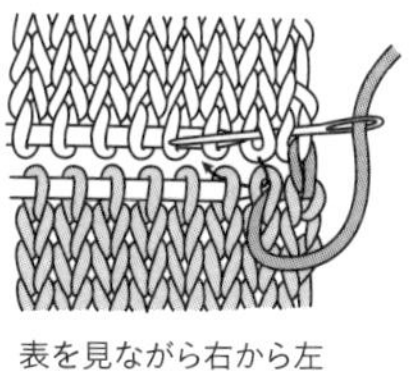

表を見ながら右から左へはぎ進む

2

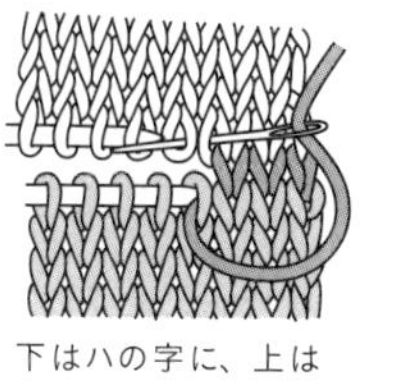

下はハの字に、上は逆ハの字に目をすくっていく

目と段のはぎ

1

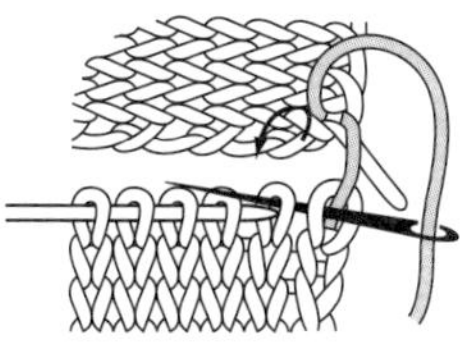

上の段は端の目と2目めの間の横糸をすくい、下の目はメリヤスはぎの要領で針を入れる

2

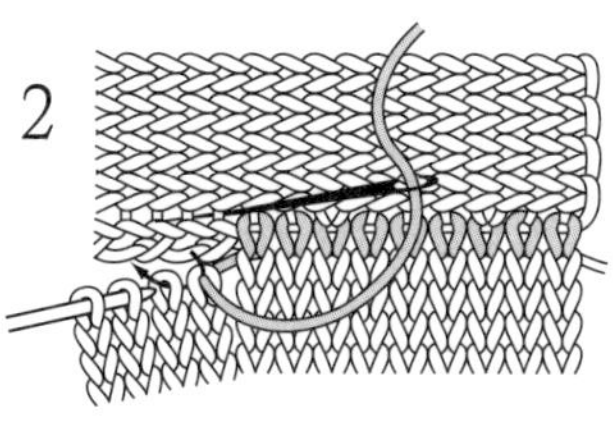

はぎ合わせる目数より段数が多い場合は、ところどころに1目に対して2段すくい、均等にはぐ

すくいとじ

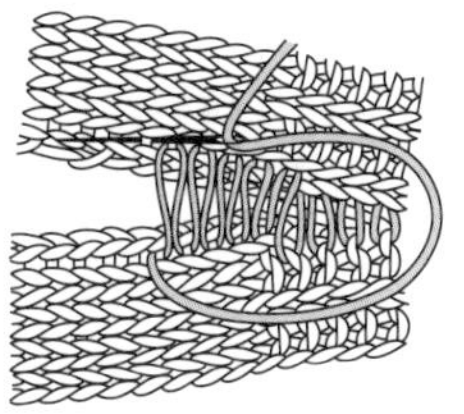

1目めと2目めの間の渡り糸を1段ずつ交互にすくう

アートディレクション —— 有山達也
デザイン ———————— 中島美佳＋山本祐衣（アリヤマデザインストア）
撮影 ———————— 長野陽一
安田如水（文化出版局） p.130 〜 135
スタイリング ———— 岡尾美代子
ヘア＆メイク ———— 茅根裕己（Cirque）
モデル ———————— コディ
ターニャ
コーディネート ——— イセキアヤコ（ロンドン、ガーンジー島）
安田和代（スコットランド）
山下直子（アイルランド）
トレース ———————— 沼本康代
薄井年夫
白くま工房
校閲 ———————— 渡辺道子（編み方）
向井雅子
編集 ———————— 三角紗綾子（リトルバード）
宮崎由紀子（文化出版局）

[素材提供]
ダイドーフォワード パピー
TEL.03-3257-7135 http://www.puppyarn.com

[衣装協力]
Alice Daisy Rose TEL.03-6804-2200
（p.52 のブラウス、p.56 のワンピース／TOWAVASE）
YAECA APARTMENT STORE TEL.03-5708-5586
（p.47 の中に着た T シャツ、p.52 のサロペット、p.54 のパジャマ／ YAECA）

[協力]
英国政府観光庁 www.visitbritain.com
スコットランド国際開発庁
ヴァージン アトランティック航空

アラン、
ロンドン、
フェアアイル

編みもの修学旅行

2014年11月17日 第1刷発行
2023年7月31日 第3刷発行

著　者 ———— 三國万里子
発行者 ———— 清木孝悦
発行所 ———— 学校法人文化学園 文化出版局
〒151-8524 東京都渋谷区代々木3-22-1
TEL. 03-3299-2487（編集）
TEL. 03-3299-2540（営業）

印刷・製本所 ——— 株式会社文化カラー印刷

文化出版局のホームページ https://books.bunka.ac.jp/